colecção

volumes publicados

1. Uma Aventura na Cidade
2. Uma Aventura nas Férias do Natal
3. Uma Aventura na Falésia
4. Uma Aventura em Viagem
5. Uma Aventura no Bosque
6. Uma Aventura entre Douro e Minho
7. Uma Aventura Alarmante
8. Uma Aventura na Escola
9. Uma Aventura no Ribatejo
10. Uma Aventura em Évoramonte
11. Uma Aventura na Mina
12. Uma Aventura no Algarve
13. Uma Aventura no Porto
14. Uma Aventura no Estádio
15. Uma Aventura na Terra e no Mar
16. Uma Aventura debaixo da Terra
17. Uma Aventura no Supermercado
18. Uma Aventura Musical
19. Uma Aventura nas Férias da Páscoa
20. Uma Aventura no Teatro
21. Uma Aventura no Deserto
22. Uma Aventura em Lisboa
23. Uma Aventura nas Férias Grandes
24. Uma Aventura no Carnaval
25. Uma Aventura nas Ilhas de Cabo Verde
26. Uma Aventura no Palácio da Pena

volumes a publicar:

27. Uma Aventura no Inverno

Ana Maria Magalhães
Isabel Alçada

na escola

Ilustrações de
Arlindo Fagundes

CAMINHO

9ª edição

UMA AVENTURA NA ESCOLA (9ª edição)
Autoras: Ana Maria Magalhães e Isabel Alçada
Ilustrações: Arlindo Fagundes
Capa: arranjo gráfico da Editorial Caminho,
sobre ilustrações de Arlindo Fagundes
Orientação gráfica: Secção Gráfica da Editorial Caminho
Revisão: Secção de Revisão da Editorial Caminho
© Editorial Caminho, SA, Lisboa — 1984
Tiragem: 25 000 exemplares
Composição: Fototexto, Lda.
Impressão e acabamento: Heska Portuguesa, SA
Data de impressão: Setembro de 1990
Depósito legal nº 9669/85
ISBN 972-21-0007-6

Aos queridíssimos

Luísa Maria
Paulo Jorge
João Miguel
João Francisco
Miguel
Sara
Rute
Raquel
André
Pedro

capítulo 1

O primeiro dia de aulas

— Quanto mais querem organizar, maior é a confusão! — troçou o Chico, passeando no pátio da escola com as mãos enfiadas nos bolsos.

— Há três anos que assisto ao dia «da recepção aos novos alunos» — respondeu o Pedro, também trocista. — Coitados dos novos alunos!

— Coitados mas é de nós, que temos de aturar isto! — disse o Chico, com ar superior.

Mas, no fundo, não era verdade o que dizia. O Chico e o Pedro estavam radiantes e quase orgulhosos, como alunos do 7.º ano de escolaridade. A Escola Secundária da zona estava superlotada e do Ministério tinham vindo indicações para que umas tantas turmas do 7.º ano continuassem na Escola Preparatória. Assim, em vez de serem dos mais novos, numa escola desconhecida, eram dos mais velhos na sua própria escola... o que era muito agradável!

O Chico e o Pedro falavam e riam altíssimo, no meio do pátio, deliciados por se sentirem tão à vontade. Na manga das camisolas uma braçadeira anunciava: «Em serviço». Faziam ambos parte do grupo de alunos que o Conselho Directivo escolhera para orientar os novos no primeiro dia. A ideia era ajudar assim os mais novos, se precisassem de qualquer informação, e ainda criar um bom entendimento entre todos, desde o primeiro dia. A ideia era boa, mas... A verdade é que os alunos mais velhos, contentes por encontrarem de novo os colegas, espalhavam-se em grupos, a conversar animadamente, sem se lembrarem do que estavam ali a fazer. Por outro lado, os mais novos pareciam intimidados e era-lhes mais fácil abordarem os professores e os empregados...

De qualquer forma, reinava a maior animação pelos pátios, à hora do intervalo grande.

Junto dos vidros de um dos pavilhões havia um enorme aglomerado de gente, procurando copiar os horários. Alguns pais e mães ajudavam os filhos e tentavam estabelecer uma certa ordem, mas em vão. Uma miúda tinha-se inclinado, e três colegas serviam-se das costas dela como de uma mesa, para apoiar os horários de papel que lhes tinham distribuído à entrada.

Muitos professores giravam por ali, divertidos também. Pareciam contentes por reverem os alunos.

— Por enquanto, ainda não se fartaram de nós — comentou a Bábá, a quem vários já tinham dito que estava mais alta, muito mais bonita e aos quais, secretamente, dava toda a razão...

— Amanhã já deve haver alguns que não nos podem ver — riu-se o Chico.

— Já reparaste que os professores novos parecem tão atarantados com os miúdos que vêm da primária? — perguntou a Bábá.

— Ora, que ideia a tua!

— Palavra... Ora repara naquela...

Sozinha, encostada à porta do Pavilhão 2, estava uma professora muito novinha, de *jeans*, botas e um blusão de xadrez. Tinha uma saca de couro, à tiracolo, de onde saíam alguns rolos de papel. O cabelo loiro, muito curtinho, ficava-lhe bem. Havia qualquer coisa de especial na sua atitude. Parecia querer transmitir aos outros a impressão de que estava ali sozinha por acaso, mas notava-se à légua que se sentia desambientada naquela escola enorme, onde circulavam centenas de pessoas que ela não conhecia.

O Chico, atrevido, e com a consciência de que estava mais seguro e integrado no ambiente do que ela, aproximou-se, gingando levemente. E, procurando que a voz lhe saísse mais grossa, levantou uma sobrancelha e perguntou:

— É professora ou aluna?

Ela olhou-o de alto a baixo, muito séria. Depois, deitou uma mirada rápida ao grupo que os observava de longe. E reagiu com uma gargalhada sonora:

— Sou professora, nova. E tu, vê-se logo que és um aluno velho... São coisas que acontecem...

O inesperado da resposta deixou-o perplexo, mas optou por rir também. A professora aproveitou logo para continuar a conversa.

— E, já que estás de serviço — disse, apontando a braçadeira —, diz-me cá, onde é o Pavilhão 4?

— A... a escola é muito grande — gaguejou o Chico.

— Já dei por isso — respondeu logo ela, sem perder o à-vontade.

— É muito grande e tem um desnível, foi construída numa encosta. Os Pavilhões 3 e 4 são lá em baixo. E o Pavilhão Desportivo ainda é mais abaixo. Não se vêem daqui.

— Então, vem comigo, indica-me o caminho.

O Chico, embaraçado, olhou para trás. Os colegas riam às gargalhadas, sem tirar os olhos dele e fazendo negaças.

— Não estás de serviço aos que entram de novo? — perguntou a professora, fingindo ignorar as atenções de que eram alvo.

O Chico olhou novamente para os colegas, en-

colheu os ombros e encaminhou-se para as escadas ao lado da nova professora.

Não era bem assim que ele previra o resultado daquela conversa. Sentia-se perfeitamente gozado.

— De que ano és? — perguntou ela, com ar simpático.

— Sou do 7.º

— Ah! Por isso é que és tão alto!

Para seu grande espanto, o Chico verificou que, ao falar com aquela professora, olhava ligeiramente para baixo. Ela era mais baixa do que ele! E empertigando-se, todo satisfeito, voltou-se para trás e anunciou:

— Esperem por mim, que vou acompanhar esta «stôra» ao Pavilhão 4!

«ÉÉÉÉÉ!» Uma surriada valente fez corar o Chico.

— Ele já volta — disse a professora, encarando-os de queixo esticado, não parecendo nada afectada pelo gozo da malta.

«Esta não vai ter problemas em se entender com os alunos», pensou o Pedro, aconchegando os óculos no nariz.

A campainha silvou, indicando que o intervalo terminara. Mas, como era o primeiro dia, não fazia mal chegarem um pouco atrasados, e continuaram ali a conversar. Dois matulões aproximaram-se.

— O que é que vocês vão ter agora?

— Geografia.

— Eh, pá! Nós já tivemos. O professor é um chato!

— Chato? Muito chato, logo na apresentação? — duvidou a Bábá.

— Sabem como é que ele se apresentou?

E o mais gordo recuou dois passos, colocou a cabeça de lado e, para melhor imitar o professor, falou numa voz nasalada:

— Ficam já a saber que nas minhas aulas não tolero pastilhas elásticas, nem costas curvadas, nem cabeças apoiadas na palma da mão.

— Eh, pá, esse promete!

— Que ridículo!

— Sai-nos todos os anos cada espécime...

— Tenho uma ideia — disse a Bábá, entusiasmadíssima. — Cheguem cá.

Juntaram as cabeças e cochicharam durante alguns instantes.

— Ah! Ah! Ah!

— És tramada!

— Alinham?

— Alinhamos, claro! — respondeu o Pedro, a quem apetecia imenso começar o ano com uma barracada qualquer. Afinal de contas, estavam no 7.º ano... Já se podiam dar ao luxo de gozar um bocado!

— Então, previnam todos! — ordenou a Bábá, encaminhando-se para a porta da sala, com um brilho malicioso no olhar.

O professor era esquelético, de tez esverdeada e usava óculos de aros de tartaruga. Abriu a porta com ar austero, e não pareceu estranhar a prontidão e o silêncio com que todos ocuparam os seus lugares. Sem uma palavra, sacudiu o casaco e voltou-se para o quadro, de giz em punho, para abrir a lição.

Quando se voltou, nem queria acreditar no espectáculo que se lhe oferecia! Os alunos tinham aberto os cadernos em cima das carteiras e aguardavam que falasse, na maior imobilidade. Só que todos tinham as costas profundamente encurvadas, a cara apoiada na concha das mãos, e mascavam, com movimentos muito pronunciados, uma pastilha elástica, real ou imaginária...

Vacilando imperceptivelmente, apoiou-se na borda da mesa e começou, com voz nasalada:

— Não vale a pena apresentarmo-nos, porque temos o ano inteiro para nos conhecermos. Vamos começar a dar matéria. Algum comentário?

Ninguém respondeu, mas o mastigar das pastilhas tornou-se audível: «Schnhac, schnhac, schnhac...»

O professor, contendo a fúria, ignorou a provocação e começou a aula, dando indicações de material.

«No fim de contas, é pena isto começar assim», pensou o Pedro, a quem interessava tudo o que dizia respeito a Geografia. «Um mau ambiente entre alunos e professor, acaba por prejudicar a todos...»

E, mesmo sem querer, parou de mastigar.

«Esta voz faz-me sono», pensava o Chico. «Um ano inteiro a aturar isto! Está-me a parecer que também não vou gostar de Geografia!»

E o Chico enfiou os dedos na boca, tentando tirar a pastilha de um dente furado.

— «Stôr» — começou a Bábá, espetando o dedo no ar.

O professor não ouviu o que ela queria, interrompendo imediatamente:

— «Stôr»? Que é isso de «stôr»? Sabem o que estão a dizer?

— É professor! — respondeu prontamente a Bábá.

— Enganas-te. «Stôr» é a abreviatura de «senhor doutor». Perceberam? Senhor doutor. Quem tem um curso, é assim que deve ser tratado.

Aquela frase, cuspida com fúria, na voz nasalada do professor de Geografia, era tão irritante que nem dava vontade de rir!

— Estamos fritos — sussurrou a Bábá para a companheira.

capítulo 2

Assaltaram
a escola!

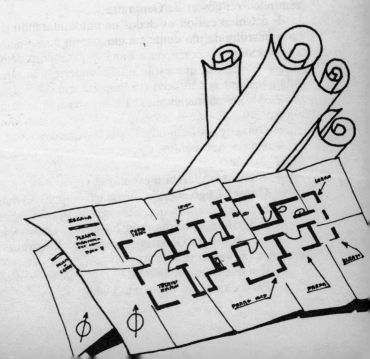

— Já sabem? Já sabem?

— Já sabemos o quê?

O Chico e o Pedro vinham a chegar e as gémeas esperavam por eles ao portão, excitadíssimas.

— Não lhe digas, ó Luísa! — disse a Teresa, toda sarrabeca. — Eles ontem estavam a armar-se em importantes e não nos ligaram nenhuma!

— Estávamos de serviço aos alunos novos — respondeu o Pedro. — Não te zangues.

— E vocês não são novas — continuou o Chico.

— Pois, pois! A verdade é que ontem quase nem nos falaram.

— As pessoas que estão no Secundário não têm nada que ligar aos miúdos do Preparatório...

— Ai que engraçadinhos! Eu logo vi que se iam armar...

— Deixa-te disso, miúda! Conta lá o que se passou.

— Houve um assalto.

— Aonde?

— Aqui. Assaltaram a escola.

— O quê? Logo no primeiro dia?

— Foi!

— E aonde é que entraram?

— Na secretaria. Repara nos vidros. Escavacaram tudo. Foi tudo remexido.

— E o que é que roubaram?

— Parece que não roubaram nada.

— Nada?

— Aí é que está, é esquisito. Até dinheiro havia numa gaveta, um envelope com notas.

— Naturalmente, não encontraram o dinheiro e levaram alguma máquina.

— Não, não levaram nada. E tiraram o dinheiro da gaveta. Deixaram-no em cima da mesa.

— Não pode ser.

— Espera, talvez não tenham levado nada por terem sido apanhados em flagrante... Chegou alguém de repente, foi?

— Não foi nada disso. Este assalto é um perfeito mistério.

— Lá estão vocês com a mania dos mistérios!

— Eu vou dizer-te o que sei e tu vê lá se é ou não é um mistério.

A Luísa, de mão na anca, olhou primeiro para o Pedro e depois para o Chico.

— Assaltaram a secretaria. Remexeram em tudo. Estás a ouvir bem? Em tudo... Não levaram nada, nem tentaram abrir o cofre. Também, parece que não havia lá dinheiro, que o dinheiro está no banco. Mas eles não sabiam.

— Se calhar, sabiam.

— Eu acho que não. Mas também não interessa.

— Afinal, é só isso?

— Não. O mais importante é que desapareceram uns rolos de papel, que têm a planta da escola.

— Então, está-se mesmo a ver, não é mistério nenhum!

— Ai, não? Ora explica lá!

— Com certeza roubaram a planta para preparar um assalto.

— Ó Chico, que estupidez! Assalto fizeram eles ontem e não roubaram nada. Já cá estavam dentro, era só levarem o que quisessem!

17

— Sim, não valia a pena levarem a planta para voltarem cá depois!

— Tens razão — anuiu o Chico.

— Pois tenho. É um mistério!

— Não ouviram o toque? — perguntou a Dona Sara, assomando à porta. — Despachem-se, senão chegam atrasados às aulas.

— Embora, Chico, que no Secundário chumba-se por faltas!

— Vantagens e desvantagens de estar no Secundário! — gritou a Teresa, que corria já para o seu pavilhão.

Apesar de o Conselho Directivo e os empregados da secretaria estarem aborrecidos com o assalto, só o Sr. Osório parecia preocupado.

— Isto, logo no primeiro dia, é mau sinal! É muito mau sinal! — repetia, enquanto fazia funcionar a máquina de fotocópias.

Ninguém ligava muito, porque infelizmente aquela escola era frequentemente assaltada. No ano anterior tinham roubado um gravador, um leitor de *cassettes*, muitas ferramentas dos Trabalhos Manuais, além do dinheiro que havia nas gavetas, na secretaria, e uma máquina de escrever eléctrica. Portanto, de certo modo, os roubos e assaltos não eram novidade. Só que, desta vez, os acontecimentos não tardariam a dar razão ao Sr. Osório...

Como a professora de Educação Visual das gémeas era a Dra. Rosinda, presidente do Conselho Directivo, elas decidiram aproveitar para falarem um bocado no assunto. A verdade é que ainda sentiam pouca disposição para trabalhar! A excitação do regresso às aulas, do encontro com os amigos, e ainda por cima aquele assalto, que elas achavam

misteriosíssimo, dava-lhes muito mais vontade de conversar do que de fazer fosse o que fosse.

Mas não foi possível puxar o assunto. A professora Rosinda tinha ideias tão giras, que interessavam desde o primeiro minuto! Iam dividir-se em grupos e aproveitar o facto de terem duas horas, para fazerem uma espécie de visita de estudo: primeiro, à cantina, verificar como as paredes estavam nuas e tristes sem nada a enfeitar. E depois, ao mercado, para observarem ao vivo vários tipos de alimentos. Assim, inspiravam-se para elaborarem cartazes com que enfeitar as paredes da cantina. A ideia sorriu a todos!

— É preciso que cada grupo tenha o seu coordenador... — dissera a professora.

— Oh! Para quê? — reclamaram as gémeas, a quem não apetecia nada ter de obedecer às ordens de um colega.

— Para já, a única função do coordenador é controlar a hora de regresso, e avisar os elementos do grupo. Senão, o mais certo é entusiasmarem-se a deambular pelo mercado e perdem a aula seguinte.

— Ah! Bom, se é só isso...

— Posso ficar coordenador? — pediu o Rui, levantando o braço no ar.

— Ai, eu cá não quero ser do teu grupo! — declarou logo a colega da carteira de trás.

— Nem eu te queria no meu grupo, ó...

— Calma, vamos com calma!

A professora Rosinda raramente levantava a voz. Mas a verdade é que todos lhe obedeciam, embora não soubessem explicar porquê. Era uma professora baixa e redondinha, com uma cara sempre prazenteira. As bochechas, de pele muito lisa e aveludada, com duas rosetas encarnadas, pareciam de loiça. E os olhos, de um azul intenso, tinham qualquer

20

coisa de carinhoso que envolvia e apaziguava os alunos. O cabelo era rijo, castanho bastante escuro. Via-se que devia ter jeitos, mas ela usava sempre o cabelo muito curto, num penteado simples que lhe ficava bem. Era uma presença serena e agradável.

As gémeas já a conheciam do ano anterior. Não estranharam pois que a paz fosse rapidamente restabelecida, e que os grupos se organizassem sem dificuldade, a contento de todos.

Saíram da aula cheias de vontade de trabalhar.

capítulo 3

Quem terá feito uma coisa destas?

— Quem? Mas quem?

— É inacreditável!

— Inconcebível! Sou professora há vinte anos e nunca vi nada parecido!

— Palavra de honra, que não posso imaginar qual foi a ideia!

— Uma coisa assim!

— Quem é que pode ter feito uma coisa destas? Mas quem?

Naquela manhã, parecia que um vento de loucura tinha varrido a escola. Os professores discutiam acaloradamente ao cimo da escada e em grupos, espalhados ao acaso. Os empregados andavam de um lado para o outro, a gesticular, a bramar, a barafustar. Pareciam furiosos e assustados também... Os alunos corriam todos na mesma direcção, chamando os colegas:

— Anda ver!

— Que barraca!

— Quem terá sido?

A balbúrdia era enorme! As gémeas pararam, surpreendidas. Que seria aquilo? Já tinha tocado, mas ninguém parecia importar-se, o que lhes dava muito jeito, porque, nessa manhã, o despertador não tinha funcionado e elas vinham com medo de já ter falta. Mas, o que quer que estivesse a provocar aquelas reacções, devia ser bem grave!

— O que é que terá acontecido, ó Luísa?

— Sei lá! Coisa boa é que não foi...

Tentaram perguntar a um colega, mas ele limitou-se a dizer:

— Venham daí, venham...

As gémeas encolheram os ombros e seguiram-no, escada abaixo, curiosas.

— Parece que...

A Teresa parou, estupefacta. Não era para admirar que a escola estivesse naquele desvario!

A toda a volta de um dos pavilhões, alguém tinha escavado um fosso! Tinham mesmo furado o cimento que havia na frente e num dos lados, e, com ferramentas poderosas, tinham aberto uma espécie de vala durante a noite!

— Isto é espantoso! — murmurou a Luísa, mal acreditando no que via.

— Para quê? Mas para quê? — repetia uma professora ali ao lado.

Realmente, não se entendia a finalidade daquela obra absurda. A escola em peso concentrava-se ali, sem saber o que pensar. Toda a gente discutia o assunto, toda a gente dava palpites, trazendo para a conversa ideias perfeitamente loucas! E os mais novos divertiam-se, radiantes, a saltarem sobre o fosso, ora tomando balanço para atingir a porta do pavilhão ora saltitando a pés juntos, de dentro para fora e de fora para dentro. Como tinha chovido de madrugada, no fundo do fosso havia uma altura de água que tornava os saltos ainda mais excitantes. Quem caísse lá dentro, caía à água! Talvez por isso, um dos rapazes lembrou-se dos castelos rodeados de água por todos os lados, com uma ponte levadiça na porta principal... E, sem dizer nada a ninguém, correu em busca de uma tábua grossa e larga que pudesse servir de ponte! Como ali perto havia um pré-

25

dio em obras, não lhe foi difícil encontrar o que queria. E, exultante com o seu achado, estendeu a tábua sobre o fosso, e gritou, correndo-lhe por cima:

— Ao ataque! Ao ataque! Vou conquistar este castelo!

O desafio não ficou sem resposta. Em poucos instantes, tinham-se formado vários grupos, uns da parte de dentro, a defender, outros da parte de fora, a atacar, agitando paus, usando as mochilas a fazer de escudos, tudo na maior algazarra.

— Morte ao inimigo!

— Ah, cães! Ah, cães!

— O castelo é nosso! É nosso!

A Teresa e a Luísa observavam aquilo tudo, deliciadas! Estava uma manhã linda, de Outono. Um ventinho fresco dispersara um pouco as nuvens, que se amontoavam no céu, tomando formas esquisitas e várias tonalidades, desde o branco muito branco até ao quase cinzento. O céu via-se às tiras, de um azul luminoso e brilhante. E o Sol derramava raios dourados sobre aquela cena louca, que os miúdos animavam com os seus gritos, simulando guerras.

E a certeza da que a primeira aula já lá ia, pois faltavam poucos minutos para tocar, ajudava a tornar aquela manhã de escola numa manhã inesquecível.

— Que paródia, Luísa!

— Mas quem é que terá feito uma coisa destas?

— Parece que isso é o que está toda a gente a perguntar!

Uma vozinha conhecida soou por trás delas:

— Foi um «affalto»!

— O quê? — perguntaram elas, voltando-se e dando de caras com o João.

— Olá!

— Olá!

O João respondeu-lhes de uma forma esquisita, sem quase mexer a boca:

— Foi um «affalto», «fabias»?

— O quê? Não percebo!

— O que é que tens na boca?

O João corou ligeiramente e riu-se, deixando à vista os arames de um aparelho para endireitar os dentes.

— Ah! Puseste aparelho!

— Para quê?

— Ora — respondeu-lhes ele, evitando pronunciar muitas palavras, para não fazerem troça.

— Que pergunta, Teresa! Está-se mesmo a ver que é para endireitar os dentes!

— E incomoda-te?

— Hã, hã... — fez ele de boca fechada, acenando com a cabeça, como quem diz «assim, assim».

— Fala lá!

— Não!

— Fala, não sejas parvo!

— O que é que estavas a dizer, um assalto?

— «Fim», um «affalto»...

As gémeas riram-se.

— Pronto, já estamos dentro do código! Quando falas com o aparelho, transformas os «ss» em «ff».

Ele encolheu os ombros e não respondeu.

— Não te chateies, João. Isso é só nos primeiros dias, ou mesmo no primeiro dia. Vais ver que amanhã já falas normalmente.

A campainha soou, violenta, no meio da algazarra. Ia acabar a brincadeira. Professores e empregados dispersaram, ou para irem buscar materiais necessários às aulas seguintes ou para aproveitarem o intervalo e tomar um café. Alguns alunos afastaram-se também, embora de longe ainda se voltassem para olhar aquele pavilhão transformado em castelo...

No entanto, os mais novos continuaram a brincadeira. E, porque ainda estavam mais à vontade do que quando rodeados por adultos, houve logo quem se lembrasse de completar o disparate.

— Se enchêssemos aquele balde plástico com água, na sala de Educação Visual, para deitar mais água no fosso? — propôs uma rapariguinha morena, de olhar vivaço.

— Água no fosso? Que rica ideia!

Não foi preciso repetir. Uma data deles correu logo para dentro da sala, à procura de recipientes, e começou a chover água para dentro do fosso.

— Força! A ver quem deita mais!

— Ai que me molhas!

— Vê lá se queres!

O Chico e o Pedro observavam tudo de longe.

— Olha o que os miúdos do 1.º ano estão a fazer! — exclamou o Chico.

— Daqui a nada há bronca!

— Mas enquanto não aparece ninguém, ao menos divertem-se! — continuou o Chico, com uma ponta de inveja.

Aquele programa era mesmo feito para lhe agradar! E pertencer ao grupo dos mais velhos pareceu-lhe de repente uma chatice.

— Vamos até ali, para ver? — propôs o Pedro, também ansioso por se chegar.

— Vamos!

A batalha com os baldes de água estava no auge. Alguns alunos, encharcados, corriam em volta, salpicando tudo. Outros continuavam a atirar água, ora para dentro do fosso ora para cima dos colegas, numa animação...

A miúda que tinha tido aquela ideia peregrina recuou prudentemente. Aquilo estava a tomar umas proporções exageradas!

— Nunca pensei que...

— Nunca pensaste que isto fosse tão longe, hã? — perguntou-lhe a Luísa, aproximando-se.

— Foste tu que tiveseste a ideia, não foste? — interrompeu a Teresa.

— Fui, mas...

— Não te desculpes! Não podias imaginar que se pusessem a encharcar tudo à volta!

— E não te rales, nós não vamos dizer nada. De certo modo, a ideia foi de toda a gente...

A miúda suspirou, aliviada.

— Olha lá, como é que te chamas?

— Eu?

— Claro! Quem é que havia de ser?

— Sou Catarina. Ando no 1.º ano. E vocês?

— Nós somos as gémeas Teresa e Luísa. Andamos no 2º.

— Qual é a Teresa?

— Sou seu.

— Vocês são iguaizinhas? Não há nada que vos distinga?

— Há, mas...

— Olha, olha, Luísa! O Chico! Olha o que ele está a fazer!

O Chico, incapaz de resistir mais tempo à tentação, acabara de se lançar para dentro de água, gritando:

— Eu sou o crocodilo que guarda este castelo!

A guincharia aumentou em flecha, com o Chico a tentar apanhar os mais novos, arreganhando os dentes e dando urros mais próprios de um leão...

— Não me apanhas! Não me apanhas... — gritavam, correndo em volta, uma data de rapazes e raparigas, que entraram imediatamente no jogo.

Ao cimo da escada apareceram naquele momento duas empregadas, precedidas pelo Sr. Osório...

— Luísa, parece-me que o melhor é cavarmos daqui para fora... — disse a Teresa, arrastando a irmã e a Catarina por um braço.

— Vamos, vamos, que eu não estou para ter chatices...

A Catarina seguiu-as, contente por ter feito duas amigas novas.

— Esta escola é divertidíssima! Eu cá nunca estive numa escola assim!

A Teresa e a Luísa riram-se.

— Isto não é uma escola «assim»!

— É uma escola normalíssima!

— Mas não parece...

— Hum, pois não... Foi um princípio de ano bem original!

— E sabes? Palpita-me que as broncas ainda não ficam por aqui!

— Por que é que dizes isso?

— Acho que quem fez esta... há-de fazer outra...

— Também acho.

— Mas para que é que escavaram o fosso à volta do pavilhão? — perguntou a Catarina.

— Isso queríamos todos nós saber!

— Olhem, além, coitado do Chico, o Sr. Osório vai a arrastá-lo por um braço.

— Deve ir ao Conselho Directivo.

— Se eu fosse ao Conselho Directivo, não o castigava desta vez. Afinal, uma coisa tão fora do vulgar é natural que excite as pessoas, vocês não acham?

— Eu acho!

— Agora, o melhor é «acharmos» a sala seguinte! — brincou a Luísa.

— Até logo, Catarina.

— Até logo!

capítulo 4

Um professor de Matemática muito especial

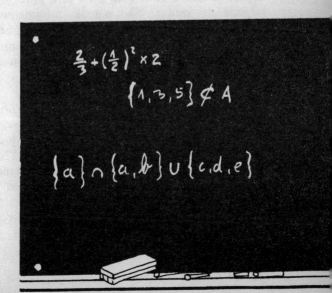

A turma das gémeas encontrou a sala onde iam ter Matemática com a porta aberta de par em par. E, aproveitando a confusão que grassava na escola, foram entrando. Cada um ocupou o lugar que lhe apeteceu, e o resultado foi os rapazes sentarem-se ao lado de outros rapazes, e as raparigas ao lado de raparigas. Mas, como o número de alunos era ímpar, houve um que ficou sozinho lá atrás. Era um aluno novo, que tinha vindo transferido de outra escola. Baixo e rijo, com uma cara gira, toda pintalgada de sardas, não parecia minimamente incomodado por não conhecer ninguém. E, enquanto os outros tiravam cadernos e canetas das mochilas, ele levantou-se, abriu os braços, e começou a recitar de olhos fechados, com ar muito sofredor:

— Ai, solidão! Ai solidão, solidão!

Os colegas riram-se. Um, lá do fundo, atirou-lhe com uma bola de papel.

— Não há por aí nenhuma miúda gira que queira vir ocupar este lugar vazio a meu lado? Hã? — perguntava ele, já em cima da carteira, apontando com gestos largos o assento. — Vocês as duas aí, são mesmo duas ou estou a ver a dobrar?

— Parvo! — responderam as gémeas, voltando-lhe as costas.

— Parvo, não! Paulo! Paulo! Eu sou o Paulo!

34

E se vocês quiserem vir as duas aqui para trás, ficamos os três muito apertadinhos...

Mas o Paulo teve de suspender a teatrada e sentar-se rapidamente. Pela porta interior do pavilhão acabava de entrar o professor de Matemática, deixando a turma muda de espanto.

— As surpresas ainda não acabaram hoje! — murmurou a Luísa para a irmã, dando-lhe uma cotovelada.

Na frente deles, estava um homem que parecia tudo menos um professor de Matemática! Era altíssimo, magro, com uma farta cabeleira loira, de um loiro quase branco, olhos verdes enormes e pestanudos. Vestia fato completo, azul-escuro, camisa imaculadamente branca e gravata às risquinhas. Parecia mais preparado para uma festa do que para uma aula!

Com gestos suaves, pousou uma pasta de cabedal em cima da mesa e olhou a turma, hesitando uns segundos antes de falar.

— Nunca tive um professor que viesse para as aulas de gravata — sussurrou a Teresa.

— E nunca tiveste um professor tão giro na tua vida — respondeu-lhe a irmã, quase sem abrir a boca.

A colega de trás inclinou-se para elas, disfarçadamente, e perguntou em voz baixa:

— Será o professor, ou algum actor de cinema que se enganou no caminho?

Um riso abafado sacudiu as meninas daquele canto. Mas o professor não deu por nada. Com ar vagamente perdido, disse o nome, mas tão baixo que ninguém ouviu. Depois, tirou as folhas da caderneta de dentro da pasta e avançou para os alunos, obviamente pouco à vontade. Estendeu uma folha a cada um, pareceu hesitar, recuou, olhou em volta e chamou um rapaz.

— Tu aí — disse, entregando-lhe o maço de papéis. — Distribui as folhas pelos teus colegas, sim?

Parecia mais um pedido do que uma ordem!

Pelo canto do olho, espiavam-lhe todos os movimentos. Que estranho professor de Matemática! Estaria nervoso, ou seria mesmo assim?

Três espirros violentos e provocadores anunciaram que o Paulo ia começar com os disparates do costume.

«AAATCHIM! AAATCHIM! AAATCHIM!»

Ninguém se mexeu. Qual seria a reacção do professor?

Nenhuma. O professor fez de conta que não tinha ouvido. E, pegando no giz com a ponta dos dedos, começou, sem mais delongas, a explicar a matéria.

A voz era bonita, ligeiramente gutural. Mas ele usava frases muito compridas, empregando termos difíceis e desconhecidos. De vez em quando, voltava-se de costas, para escrever no quadro, mas não parava de falar e, nessa altura, além de não o perceberem, os alunos mal o ouviam...

«Estou tramado com este professor», pensava o Jorge, que adorava Matemática, e era o melhor aluno da aula. «Este ano é que vou ter de pedir à minha mãe que me arranje um explicador...»

Algumas alunas olhavam para ele, embasbacadas, sem fazerem o mínimo esforço para perceberem o que dizia.

— É um borracho, este professor, hã?

Dois rapazes mais activos optaram por copiar a matéria que ia surgindo no quadro. Assim como assim, era melhor do que estarem ali a pasmar. E talvez posteriormente viessem a perceber melhor e lhes servisse para alguma coisa terem o caderno em dia.

Mas a maioria dos alunos desinteressou-se. Os repetentes jogavam discretamente à batalha naval. Outros desenhavam no tampo das carteiras, lamentando que o tempo passasse tão devagar. O Paulo escrevinhou um papelucho, que dobrou em quatro, endereçando-o às gémeas.

Fez sinal ao da frente e passou o bilhete por debaixo da mesa. O papel voou de mão em mão, e lá à frente as gémeas desdobraram-no, curiosas.

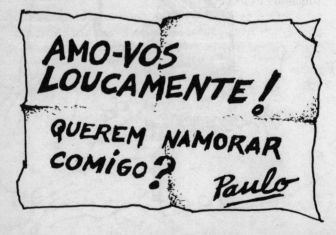

— Que parvo! — disseram em simultâneo. Mas, no fundo, acharam uma certa graça.

— Volta-te ao mesmo tempo do que eu e deita--lhe a língua de fora, Luísa.

— Está bem, então, vou contar: um, dois, três...

As gémeas giraram para trás e deitaram a língua de fora com uma careta.

O Paulo riu-se, e atirou-lhes um beijo.

O professor continuava sem dar por nada. Explicava, explicava, fitando exclusivamente os alunos da frente, que eram os únicos a manter-se em silêncio.

— Isto nunca mais acaba... — suspirou alguém.

— Está quase a tocar...

Quando a campainha soou, finalmente, o professor pareceu tão aliviado como eles. Rapou do apagador e apagou tudo num instante. Os dois rapazes ainda levantaram a cabeça, indignados.

— Mas eu não acabei de passar... — refilou um deles.

O professor não retorquiu, ocupado a guardar as folhas da caderneta.

— Que se lixe! — resmungou o outro, atirando com o caderno para dentro da mochila. — Se eu soubesse, não tinha passado nada!

Durante o intervalo grande...

Nos dias que se seguiram, não aconteceu mais nada de especial. De manhã, os alunos chegavam, ansiosos por descobrir qualquer coisa insólita, mas aparentemente estava tudo normal.

A polícia tinha sido alertada, e comprometera-se a organizar vigilância nocturna «assim que fosse possível», portanto, ninguém sabia se, de noite, a escola estava vigiada ou não. Mas talvez os «perturbadores» tivessem a mesma dúvida, desistindo, pelo menos temporariamente, de fazer desacatos.

O fosso à volta do pavilhão estava já coberto de cimento e, a pouco e pouco, os acontecimentos estranhos passavam à história.

As gémeas andavam interessadíssimas na Música, porque a professora resolvera ensinar alguns alunos voluntários a tocar instrumentos, para formar uma espécie de orquestra. Ambas se tinham inscrito em flauta, talvez por se lembrarem daquele som triste e suave, ouvido junto da represa de Seixo Branco, nas férias grandes [1].

A Catarina também fazia parte do grupo, com mais algumas colegas da turma dela, mas estava a aprender viola. Tencionavam dar um espectáculo no fim do ano, e por isso passavam os intervalos a en-

_____

[1] *Uma Aventura Alarmante*, n.º 7 desta colecção.

42

saiar. Tocar instrumentos não era tão fácil como parecia! Era necessário muito trabalho e força de vontade. Mas valia a pena porque, quando finalmente acertavam vários acordes, esboçando uma musiquinha, sentiam uma grande, grande alegria.

Os amigos é que às vezes reclamavam.

— Que chatas que vocês estão, sempre a tocar flauta! Já não as posso ouvir! — reclamara o Chico, quando, naquela manhã, as procurou para dois dedos de conversa.

— Chatas, não!

— Temos de aprender depressa, senão não aprendemos nunca mais!

— Que exagero, Luísa! Então, ou se aprende depressa ou não se aprende nada?

— Não te sei explicar porquê mas, quanto à música, tenho a sensação de que é mesmo assim, sabes?

— Eu julgo que percebo — disse o Pedro. — Tens medo que te passe o entusiasmo antes de saberes alguma coisa de jeito, será?

— Talvez... — ponderou a Luísa.

— Mas agora guardem lá isso e venham dar uma volta.

— Aonde?

— Nós queríamos ir lá abaixo ao campo de jogos. Parece que há um campeonato de volei e o João está a jogar.

— Então, está bem. Deixa-me só ir lá dentro guardar as flautas.

A Luísa entrou no Pavilhão 2 e pediu à empregada que a deixasse ir num pulo, dentro da sala, para guardar as flautas na pasta. Depois, juntou-se aos amigos e dirigiram-se aos campos de jogos, à procura do João.

— Afinal, como é que vos tem corrido a vida no 7.º ano? — perguntou a Teresa.

— É mais fácil ou mais difícil que o 2.º?

— Hã...

O Chico encolheu os ombros, sem saber o que dizer. Na verdade, ainda nem tinha percebido bem se gostava das aulas que tinha ou não.

— Eu cá por mim não desgosto — afirmou o Pedro.

— Sabem — explicou o Chico —, eu, o ano passado, fartava-me de reclamar por darem tantas fichas de trabalho nas aulas, e outras coisas para a gente fazer. Mas agora até tenho saudades!

— Saudades de trabalhar nas aulas, Chico? Estás muito mudado!

— Não é isso. Mas alguns professores do 7.º ano falam, falam... Olha, falam a hora toda. E a gente não faz nada. É só ouvir. Dá cá um sono!

— Isso deve ser uma buxa!

— Pois é. Do que eu gosto mais é de Trabalhos Oficinais. Ao menos, aí, o professor está calado e a gente tem alguma coisa para fazer. Eu comecei um trabalho giríssimo...

— Olha lá — interrompeu a Teresa. — Vocês têm o *Lindão* a Matemática?

— O *Lindão*? Que *Lindão*?

— Aquele professor novo, muito giro.

— Nós temos uma professora. Mas esse chama-se mesmo *Lindão*? — estranhou o Pedro.

— Oh! Claro que não! É alcunha.

— Mas que alcunha!

— É porque ele é muito giro. Uma colega nossa está apaixonadíssima por ele.

— Ó Teresa, que estupidez!

— Verdade! Ela diz que foi amor à primeira vista.

— As miúdas são mesmo parvas, não achas, ó Pedro? — perguntou o Chico, com desdém.

— As miúdas, não! «Algumas miúdas»! — reclamou a Teresa.

— Nós não somos assim! — concordou a Luísa.

— E também achamos idiota uma pessoa apaixonar-se por um professor.

— Mas este, por acaso, é bem giro, hã?

— Lá isso é verdade. E a parva da Filipa, logo no primeiro dia, pôs-se assim «ai que lindo, lindinho, lindão»! — a Luísa imitava a voz da colega e rebolava os olhos.

— Foi por isso que ficou *Lindão*. Está-se mesmo a ver!

— Foi. Um colega nosso ouviu e pronto. Começou a chamar-lhe assim.

— É um barraqueiro, esse! É o Paulo.

— Ah! O Paulo?! — o Chico parou e olhou para as gémeas com ar intencional.

— O que é que tem? — perguntou logo a Luísa, num desafio.

— Disseram-nos cá umas coisas! Umas «certas» coisas! — brincou o Pedro.

— Que coisas? Que coisas? Toda a gente sabe que ele pediu namoro a nós as duas! É isso? — refilou a Teresa, abespinhada.

— É.

— Desta vez é que se zangam as manas inseparáveis...

— Nós? Zangarmo-nos por causa daquele parvo? — replicou a Luísa, muito corada.

— Bom, então, também não vale a pena zangarem-se connosco, não acham? — contemporizou o Pedro.

— Era a brincar!

— Olha, lá vem o João! — disse a Teresa, contente por poder mudar de assunto, porque a verdade é que o Paulo já tinha sido motivo de longas conversas...

— Já deve ter acabado o tal campeonato — acrescentou a Luísa, para dizer alguma coisa.

Em sentido contrário, o João subia o caminho a corta-mato, por cima de ervas daninhas que tinham invadido aquela pequena encosta, onde todos os anos tentavam fazer-se canteiros, hortas e outras plantações, sempre sem êxito. Vinha suado e cabisbaixo, arrastando os pés, com a mochila pendurada só num ombro.

— Ganhaste? — perguntou-lhe o Chico, de longe.

— Perdemos! — respondeu ele, abrindo os braços.

— Não se pode ganhar sempre!

— Pois...

A Teresa e a Luísa tomaram a dianteira, pressurosas. Queriam juntar-se depressa ao João para falarem do jogo, não fosse a conversa andar para trás...

O João aproximava-se, cada vez mais devagar. Além de chateado, devia vir cansadíssimo. Nem reparava onde punha os pés...

— Olha lá, João... — ia a começar o Chico.

Mas, perante o olhar assombrado de todos, o João desapareceu pela terra dentro!

— JOÃO!

Toda a gente que circulava naquela zona tinha acorrido, para ver que força misteriosa acabava de sugar um aluno para dentro do chão; mas afinal era uma coisa bem simples...

— Escavaram uma armadilha! — disse o Pedro, atónito.

— E bem funda!

O Chico agachou-se e estendeu os braços ao João que, coberto de terra e folhas secas, parecia meio atordoado da queda.

— Estás bem, pá? — perguntou um rapaz que não conheciam.

46

— Estou... acho... — respondeu ele, numa voz pouco segura.

— Há alguma coisa aí dentro?

— Não vejo nada. Quero é sair daqui!

— Agarra-te às minhas mãos, que eu puxo-te! — disse o Chico.

— Upa, João! Finca os pés na terra!

Com alguma dificuldade, o João içou-se para o exterior. Tinha rasgado a camisola no cotovelo e, ao raspar em alguma pedra, esfolara o braço, que sangrava.

— Eh, pá! Que coisa... — murmurou, quando se viu cá fora.

À volta dele, o número de pessoas aumentava de minuto a minuto. A notícia correra por toda a escola, e os pátios tinham-se praticamente esvaziado, pois todos os alunos queriam ver a armadilha. Os empregados, ao princípio descrentes, acabaram por se juntar também, pasmados! E o Sr. Osório mandou logo um aviso à sala dos professores, que àquela hora se reuniam sempre para um cafezinho.

O João, sufocado no meio de tanta gente, começou às cotoveladas para sair dali. As gémeas, o Chico e o Pedro seguiram-no, mas o resto da malta não arredava pé. Vários rapazes já tinham descido para dentro do buraco e tornado a subir. Que armadilha bem feita! Dissimulada com tronquinhos e folhagens, passava absolutamente despercebida. E tinha dimensões para comportar um homem corpulento, de pé.

A mesma pergunta voltou a ouvir-se por todo o lado:

— Quem terá feito uma coisa destas?

— Estou mesmo a ver que as culpas vão cair em cima de nós!

— Em cima de nós? Porquê?

— Ora! Já se sabe que os alunos é que pagam as favas!

O Pedro aproximou-se dos dois colegas que discutiam o assunto. Eram da turma dele, uns tipos porreiros!

— Por que é que estás a dizer isso, ó Rui?

— Olha, pensa lá bem: uma armadilha não serve para nada, senão para chatear! Com certeza não vão deitar a culpa aos professores ou aos empregados, não achas?

— Sim, numa escola, em princípio, quem pode querer chatear são os alunos — considerou o Pedro.

— Mas às vezes isso é muito injusto — replicou uma das gémeas.

— Às vezes, quem chateia mais são os professores. Há cada um...

O Rui fitou as duas caras iguais, que se tinham chegado ao grupo, e riu-se, divertido.

— Quem são vocês, ó miúdas?

— Somos as gémeas!

— Ah, são? Ninguém diria! — troçou ele.

— São minhas amigas — atalhou o Pedro.

— E têm professores chatos, pelos vistos...

— E tu? Se calhar tu não tens, não?

— Não te zangues, que eu estava a brincar!

— É que não gosto que me gozem!

— Nem eu, sobretudo os que têm a mania que são bons, porque andam no 7.º...

— Deixa-te disso, Luísa!

— E olha que eu até acho que tens mesmo razão — conciliou o Rui. — Às vezes, os professores são chatíssimos, os empregados são chatíssimos, mas nenhum adulto tem a coragem de o reconhecer!

— Bom, isso será verdade. No entanto, ó Rui, não posso imaginar os professores a escavarem armadilhas para os alunos caírem lá dentro — disse o Pedro.

— Lá nisso tens razão!

— Vocês estão a esquecer-se de uma coisa.

— O quê?

— É que a escola não tem guarda. À noite não fica cá ninguém. Pode ter sido uma pessoa de fora.

— Pois! Os mesmos que assaltaram a secretaria e escavaram o fosso...

— Falta é provar que isso não foi feito por alunos.

— Ó Chico! Para escavar no cimento, os alunos tinham de ser fortíssimos! Aquilo foi obra de homens!

— Hum... Escavar no cimento, só com ferramentas. Dependia das ferramentas que tivessem. Não é preciso ser o Super-Homem para manejar uma broca eléctrica.

— Podia até ser um grupo de alunos e pessoas de fora!

— Mas para quê?

— Para chatear.

— Voltamòs sempre ao mesmo.

— Voltamos, voltamos! Vocês vão ver se os principais suspeitos são os alunos ou não — insistiu o Rui.

capítulo 6

Reunião
com o director
de turma

De certo modo, o Rui não se enganava. Nessa mesma manhã as aulas foram interrompidas, para cada director de turma poder reunir com os seus alunos. E a ideia agradou a quase todos. Excitados como estavam, o que queriam era falar do assunto! E era isso mesmo que iam fazer na reunião. E assim, à última hora da manhã, não davam matéria nova...

O João suspirou de alívio. Tinha-se esquecido completamente de fazer os trabalho de Inglês, e a professora passeava sempre entre as carteiras e nunca deixava passar esses esquecimentos em branco!

— À última hora tínhamos Inglês, não era? — perguntou a um colega, pois parecia-lhe bom de mais que a aula perdida fosse a que mais lhe convinha.

— Era, era. E ainda bem, porque não fiz os trabalhos.

— Nem eu. Que sorte!

— Olhem lá — disse a empregada, aproximando-se. — Vocês têm de mudar de sala.

— Nós? Mudar de sala? Porquê?

— Porque vão reunir com a directora de turma.

— Isso já a gente sabia. Mas a reunião não é na nossa sala?

— Não. É na sala de Ciências. A Dra. Albertina é directora de duas turmas e já está com os outros na sala de Ciências, que é maior. Têm de se juntar com o 1.º-15.

— O 1.º-15? Ora bolas! — resmungou o João.

— Eu vou mas é faltar à reunião... — disse logo outro rapaz, afastando-se.

— E eu vou para casa ver televisão. Dá uma série à hora do almoço.

— Pst! Pst! Onde é que vocês pensam que vão? — perguntou a empregada. Quem se for embora, tem falta! Já para a sala!

Contrafeitos, reconsideraram.

O 1.º-15 era uma turma onde havia muitos repetentes, quase com idade para já não andarem naquela escola. Provocavam distúrbios com frequência e irritavam-se, sobretudo com os que andavam no 2.º ano e eram mais novos do que eles. Havia um matulão insuportável que passava a vida a bater em toda a gente. E não valia a pena ir fazer queixa, porque os professores tentavam resolver o assunto a bem, não resolviam nada e o queixoso acabava por apanhar a dobrar.

Foi com certo receio que olharam pelo vidro, para dentro da sala de Ciências, onde o dito 1.º-15 fazia já a algazarra do costume.

— Se a professora não estiver lá, não entro! — afimou o João, recuando.

Mas ela estava. E fez sinal para que entrassem e ocupassem as mesas vagas.

Aparentemente, não ligava qualquer importância a dois daqueles parvos, que lá ao fundo ganiam e tamborilavam, na bancada das experiências.

Assim que viu todos instalados, encostou-se ao quadro e pediu silêncio com ar tão sério e autoritário, que não admitia réplica. Para grande espanto da turma do João, o 1.º-15 calou-se mesmo.

— Temos de falar muito a sério — começou a

professora. — Para isso, agradeço que me ouçam com atenção. O assunto não é para brincadeiras. Estão a ouvir? — perguntou com voz cortante.

Num mesmo movimento, endireitaram-se e tomaram posição de «quem vai ouvir». Sem dúvida nenhuma, o assunto despertava a curiosidade das duas turmas. Mas não era só isso. A professora tinha um certo magnetismo, que os obrigava a olhá-la de frente, como se estivessem hipnotizados.

Era uma mulher que se associava sempre a tons claros. Os cabelos, os olhos, a pele, as roupas, era tudo claro. Mas se alguém lhes perguntasse «afinal, de que cor são os olhos da Dra. Albertina?» ou «como é que ela vinha vestida»?, ninguém saberia responder. A impressão dominante não era física, era psicológica. Uma impressão de força, de autoridade, a que tinha de se obedecer, mas que ao mesmo tempo lhes dava segurança.

Não se percebia também que idade tinha, se era nova ou velha. E, estando ela de pé e eles sentados, não conseguiam avaliar se era alta ou baixa.

— Como sabem, tem havido uma série de acontecimentos estranhos na escola: primeiro, um assalto à secretaria. Depois, a história absurda da vala. Já conversámos muito sobre isso. Mas agora o caso muda de figura, porque podem seguir-se actos que magoem ou prejudiquem os alunos de outra maneira. O vosso colega caiu numa armadilha — disse ela, esticando o queixo na direcção do João.

Todas as caras se voltaram para ele, que corou até à raiz dos cabelos. Mas ninguém disse nada.

— As aulas pararam, porque precisamos de nos unir e resolver este caso. Conto com a colaboração dos meus alunos.

— «Stôra» — começou logo uma miúda loira, acenando, para chamar a atenção.

— Um momento, Raquel. Já lá vamos. Primeiro, quero esclarecer-vos melhor.

A solenidade do discurso sensibilizou-os. Sentiram-se tratados como adultos, o que lhes agradou bastante.

— Alguém aqui da escola sabe com certeza qualquer coisa sobre estes disparates. A polícia tem investigado e afirma que deve haver contactos dentro da escola. Agradecia portanto que pensassem bem...

Fez uma pausa e percorreu as mesas com o seu olhar transparente.

— Pensem bem! — repetiu. — Se alguém tem informações sobre este assunto, pode transmiti-las já, ou, se preferir, pode procurar-me depois, particularmente.

Fez-se silêncio. Começaram a olhar uns para os outros de soslaio. Algum dos presentes estaria envolvido?

— Se algum de vocês participou, o melhor é aproveitar para dizer. O Conselho Directivo prometeu ter em conta o facto de se acusarem voluntariamente.

— Ó «stôra», eu cá não participei em nada! — exclamou um rapaz lá ao fundo, com voz rouca.

— Nem eu!

— Nem eu!

O coro veemente de protestos foi engrossando.

— Eu não perguntei quem é que «não participou», pois não?

Um riso geral descontraiu o ambiente.

— Mais, não acusei ninguém. Nem quero que se acusem uns aos outros. Isso não é correcto. Mas se um culpado se quiser apresentar, tudo bem. E os outros, se tiverem algum dado que possa ajudar a esclarecer...

— Eu acho que sei qualquer coisa! — disse a Raquel.

As atenções concentraram-se nela, que se levantou, radiante. Adorava estar em evidência e não perdia ocasião de se exibir.

— Aposto que não sabe nada e que quer é que olhem para ela — sussurrou uma colega.

— É cá uma peneirenta!

A Raquel sacudia o bonito cabelo loiro, com gestos secos, e agitava levemente os ombros, para conseguir uma pose mas elegante.

— É uma pirosa, esta Raquel — disse uma rapariga, irritada.

— Adeus, ó «borracho» — soou lá atrás, entre os mais velhos.

— Bom, deixem-se de comentários inúteis. Raquel, diz o que tens a dizer e despacha-te.

— Eu cá tenho a impressão...

— Andas sempre com impressões, ó minha...

— Bem! — ameaçou a professora, com cara de poucos amigos.

A ordem restabeleceu-se.

— Eu não sei se tem alguma coisa a ver com isto — disse a Raquel, abrindo os braços, sem se importar nada de continuar a ser o centro de todas as atenções. — Mas no outro dia vi uma velha, de bengala, a picar o terreno cá dentro da escola.

— Eh! Que mentirosa! Vai aldrabar outros! — reclamou uma colega.

— Ó Raquel! — disse a professora, já bastante impaciente. — Senta-te lá sossegadinha. Agora uma velha!

— Uma velha de bengala a fazer covas com quase dois metros de fundo!

— Ah! Ah! Ah!

— Schut! Quero todos calados. Há informações

sobre *este* assunto, ou não há? Se não há, podem sair.

— Eu cá não tenho nada a dizer! Só não quero é que me acusem! — disse um deles, já a levantar-se do lugar.

— Bom, então podem sair. Mas se houver alguma coisa venham ter comigo.

A saída foi precipitada. Já havia várias turmas a circular no pátio e alguns corriam para casa, na esperança de ainda apanhar a tal série...

capítulo 7

Uma excursão ao cair da noite

O Pedro e o Rui conversavam, encostados à janela. O pai do Rui tinha-lhe dado um leitor de *cassettes* novo e, depois das aulas, passaram um bocado a ouvir músicas recentes. Mas já eram sete e meia. O Pedro levantou-se para sair.

— Tenho de ir para casa jantar.

— Espera mais um bocado, pá! Ainda não é tarde.

— Sabes, é que a minha mãe acha que neste bairro há muitos assaltos e não gosta que eu ande por aí depois de escurecer.

— Ora! Nesta altura do ano escurece tão cedo, que assim não podes ir a parte nenhuma.

— Bem, atenção, a minha mãe não me proíbe, apenas «argumenta»...

— E pelos vistos convence-te!

— Confesso que com estes assaltos e armadilhas até tenho medo.

— E é normal. A escola tem andado de uma maneira...

Instintivamente, olharam ambos pela janela. Como o Rui morava num prédio alto mesmo ao lado da cerca, lá do 9.º andar abarcava-se praticamente a escola em toda a sua extensão.

— Já reparaste? Assim, vista de cima, a escola parece outra coisa, parece um desenho...

— Uma planta, queres tu dizer!

— Mais ou menos, sim. Olha, ali é o Pavilhão 4, não é?

Apuraram a vista para aquela zona do fundo. Mas...

— Pedro! Olha! — exclamou o Rui, apertando-lhe um braço.

Junto à rede, um vulto ligeiramente curvado parecia cavar!

— Abre a janela!

— Não! — berrou o Pedro, excitadíssimo. — Não espantes a caça! Vamos já lá! Deve ser o tipo que tem a mania das escavações...

— Boa! Anda daí, senão o gajo escapa-se!

Saíram desvairados e o Rui gritou para a mãe, propositadamente no vago:

— Vou ali abaixo! Volto já!

Sem esperar resposta, sumiu-se e fechou a porta com estrondo. O Pedro já tocava, frenético, nos botões dos dois elevadores.

A descida pareceu-lhes eterna! Agitavam-se ambos aos pulos, como se pudessem ajudar o elevador a ir mais depressa.

Mal pararam no rés-do-chão, o Rui deu um encontrão na porta e saiu, esgroviado, deixando um casal a resmungar:

— Malcriados! Já viram isto?

— Quase nos atiravam ao chão! Esta gente nova!

— Desculpe! Desculpe! — murmurou o Pedro, de passagem, correndo atrás do amigo.

A atmosfera húmida do Inverno envolveu-os e o cheiro agradável a ervas e terra molhada penetrou-lhes no nariz. A cidade, àquela hora, lembrava mesmo o campo!

Havia pouco movimento nas ruas, por ser um bairro sem escritórios nem lojas, apenas um grande supermercado redondo ao centro e depois casas,

casas, casas de habitação. Geralmente às sete e meia só circulavam na zona os moradores. Os parques de estacionamento estavam já cheios de carros e os prédios, mergulhados na escuridão, exibiam rectangulozinhos de luz por ali acima.

Com o coração a bater descompassado e o frio na espinha de quem se sente em perigo, o Pedro e o Rui avançaram furtivamente, encostados à rede da escola. Teriam visto bem? Quase desejavam que se tratasse de uma ilusão de óptica!

— Agacha-te! — ordenou subitamente o Rui, puxando o Pedro pela camisola.

Camuflaram-se o melhor possível por trás de uns arbustos e, arregalados de pavor, assistiram às manobras de um vulto que pretendia sair da escola sem ser pela porta...

— Parece um homem!

— Ou um rapaz!

— Seguimo-lo?

A proposta era atraente e aterradora!

— E se ele não está sozinho? Podemos cair numa emboscada!

— Vamos com cuidado, de longe. Se nos virem, disfarçamos...

O homem puxou a rede para baixo, com perícia, enrolando-a um pouco. Via-se que não era a primeira vez que fazia aquilo.

— Parece muito grande para ser um aluno...

— Então e os matulões do 1.º-15?

— Pois é! E os do 2.º-23...

— Mas, vendo bem, nunca vi alunos de sobretudo!

— Pode ser um disfarce!

— Vamos atrás dele. Mas à distância, hã?

O homem, ou rapaz, já lá ia por um caminho empedrado.

— Estou cá com um griso... Brrr...

O Pedro apertava os dentes para não baterem. O Rui encolheu-se também, cruzando os braços à volta do tronco. Com a precipitação, nem lhes tinha ocorrido vestirem os kispos.

Andavam, com a consciência de que os passos ressoavam no passeio alto de mais, ou, pelo menos, parecia-lhes... De vez em quando olhavam para trás e para os lados. Era preciso evitar a luz dos candeeiros da rua!

Um ruído inesperado e longínquo fê-los dar um salto. Quase se derrubavam um ao outro! Mas não era nada. Retomaram o caminho, percorrendo agora ruas desconhecidas. Caía uma neblina que esfumava os contornos de tudo em redor.

— Maldito tempo! — murmurou o Pedro.

O homem andava depressa, sem hesitar. Limitara-se a virar a cabeça uma ou duas vezes, mas sem reparar neles. Atravessava agora a avenida, direito a uma azinhaga escura, ladeada de muros em ruínas e prédios degradados.

— Estamos tramados! Vai para a parte velha!

— Nunca lá fui! Mas já que estou aqui, não desisto! E tu?

— Eu também não!

Corajosamente, o Pedro e o Rui, caminhando muito juntos, penetraram pelas ruas estreitas da antiga aldeia, que a pouco e pouco tinha sido envolvida por um bairro de arranha-céus. E ali era mesmo outro mundo! Pasmados, olhavam os decadentes prédios de dois andares, com grandes esfoladelas na caliça, os quintais rodeados de muros grossos, soturnos, e os estendais de roupa branca, onde vários lençóis enfunavam com o vento, tomando formas arredondadas, medonhas!

— Não admira que noutros tempos acreditassem em bruxas e fantasmas! Safa!

Uma janela baixa exalava o cheiro forte do óleo que já serviu várias vezes para fritar. E, algures, ouviu-se o choro agudo de uma criança de colo. Mas nas ruas não se via ninguém! O homem caminhava lá à frente, direito à igreja.

— Não me digas que ele vai para ali! — admirou-se o Pedro.

— Não, olha! — o homem contornava a igreja pela esquerda, sempre apressado.

— Mexe-te, senão perdemo-lo!

Encostados às paredes, avançaram também e desembocaram num largo antigo com um coreto ao centro... Mas o homem tinha desaparecido!

— Bolas! Safou-se!

— Que buxa!

Durante uns segundos, ficaram para ali, não conseguindo aceitar o fracasso. Perderem assim um rasto que dera tanto trabalho a seguir!

— Naturalmente, mora aqui e entrou em casa!

— Talvez...

— Vamos embora, Pedro?

— E depressa! Acho isto tudo fantasmagórico! Olha ali para cima!

No topo da fachada daquelas casas, havia umas estranhas decorações. Pareciam pinhas enormes de loiça, que adquiriam reflexos e sombras com a luz mortiça dos poucos candeeiros do largo. O nevoeiro tornava-se cada vez mais denso e tudo em volta como que desaparecia lentamente... O Pedro estremeceu com um arrepio.

— Este frio húmido parece que chega aos ossos!

— Estou encharcado!

«Atchim!»

O espirro forte, que o Rui não conseguiu reter, assustou-os. E não foi preciso combinarem nada! Dispararam a correr, direitos a casa.

capítulo 8

Reunião urgente no vão da escada

O Pedro tinha convocado uma reunião urgente, pedindo que comparecessem todos no prédio das gémeas.

— O que é que ele quererá, Luísa? O telefonema foi tão misterioso...

— Estará relacionado com o que se passou na escola?

— Não sei. Tomara que cheguem!

«AU! AU!»

O *Caracol* aproximou-se das gémeas, saltitando até conseguir que uma delas lhe pegasse ao colo.

— Coitado do meu *Caracol*! Só quer mimos... Nunca temos tempo, não é, meu pequenino? — perguntava a Luísa, enfiando os dedos nos caracóis de pêlo branco.

«Trrim... trrim... trrim... trrimm...»

— Nunca temos tempo, e agora também não! É o sinal combinado! Vamos!

A Luísa e a Teresa afagaram o cão e desceram as escadas ansiosas por saberem as novidades. O Chico, o Pedro e o João esperavam-nas, impacientes também.

— Olá!

— Então?

— Calma. Já conto tudo. Mas vamos para o vão da escada, para estarmos mais à vontade.

— Mas é assim tão secreto o que tens para dizer?

68

— Deve ser, com certeza. Todo o caminho tentei sacar alguma coisa, e não consegui! — exclamou o Chico.

— Então, depressa, instalem-se que eu estou a morrer de curiosidade — pediu a Teresa, enfiando-se para o vão da escada, que funcionava como uma espécie de clube onde se reuniam para tratar de assuntos importantes.

— Ai! Dei uma canelada no caixote! — gemeu o Pedro. — Acendam a lanterna!

— Não é preciso, tu é que vens da rua encandeado pelo sol!

— Está até uma penumbra agradável, e sem luz é melhor, porque não chamamos a atenção!

Acomodaram-se nos seus lugares habituais, ajeitando as almofadas, e olharam para o Pedro, à espera que ele começasse.

— Bom, ontem tive uma aventura...

— SOZINHO! Seu monstro! — reclamou a Teresa, fula.

— Calma aí! Eu não tive uma aventura porque quis, tive uma aventura porque calhou. E de resto não tinha possibilidade nenhuma de vos chamar.

— Mas então conta lá! — pediu a Luísa, agitando-se.

— Ontem, fui a casa do Rui...

— Ah! Pois! Estava-se mesmo a ver! Já não nos chamas quando há mistérios, e vais chamar o Rui!

— Vocês são mesmo parvas de todo!

— Deixem o Pedro falar, que chatas!

— Então eu recomeço — disse o Pedro, cheio de paciência. — Ontem fui a casa do Rui ouvir umas músicas, mas esqueci-me de pedir autorização às gémeas...

— Ah! Ah! Ah! Engraçadinho!

— E depois?

— Depois...

O Pedro contou aos amigos tudo o que se tinha passado, deixando-os boquiabertos. Meterem-se assim à noite, à maluca, atrás de um vulto! E ainda por cima, no bairro velho! Era arriscado, mas que pena não terem lá estado também!

— Olha lá, Pedro, quando viram lá de cima o tipo a escarafunchar na cerca, era mesmo em frente da sala de Ciências do Pavilhão 4?

— Era... — o Pedro suspendeu a frase e franziu-se. Qualquer coisa lhe perturbava os pensamentos.

— O que foi?

— Lembras-te de algum pormenor importante?

— Eu... acho que sim.

— O quê? O quê?

— Espera! — pediu o Pedro. — Deixa-me articular as ideias.

Fez-se um silêncio de expectativa. As gémeas mordiam a boca, para segurarem a vontade imensa de fazer perguntas. O Pedro levantou-se de repente e deu um estalido com os dedos.

— Não podia ser só um!

— Hã?

— Era um grupo?

— Então vocês, quando o foram a seguir, não repararam se era um ou se eram dois?

— Claro que reparámos! Era só um!

— Então? Em que ficamos?

— Era um a entrar e outro a sair!

— O quê?

— Oh, Pedro! Nem pareces tu! Não percebo o que dizes e costumas explicar-te tão bem...

— Não baralhes mais! Diz lá, Pedro!

— Quando olhámos pela janela, vimos um vulto a cavar junto à cerca, mas do lado de fora da escola.

Depois, quando chegámos cá abaixo, vimos alguém a sair da escola e, ainda por cima, muito longe do Pavilhão 4, onde o outro estava a cavar!

— Sério?

— Seriíssimo!

— E achas que não dava tempo para percorrer a distância entre um sítio e outro, enquanto vocês desciam no elevador?

— Só se fosse a correr muito. E de qualquer forma não tem lógica. Para que é que uma pessoa escava um buraco para entrar numa escola, e depois sai logo por outro lado a correr?

— Realmente...

— Achas que tinham alguma coisa a ver um com o outro?

— Não faço ideia!

— E se fôssemos à escola? — propôs o Chico.

— À escola? Fazer o quê?

— Ver se há pegadas, se há buracos, enfim, à procura de vestígios!

— Boa ideia! — disse logo o João, levantan-do-se.

— Esperem aí! Vou lá acima buscar a fita métrica.

— Para quê?

— Para, se houver pegadas, podermos medir e ver se são do mesmo tamanho ou não.

— Então, despacha-te!

A Luísa voou pela escada e não tardou a apare-cer com uma fita métrica ao pescoço.

— Entornei a caixa de costura da mãe e ficou tudo para lá espalhado... — confidenciou à irmã, quando já iam a caminho.

— Deixa lá! Com certeza chegamos antes da mãe e eu ajudo-te a arrumar tudo! — prometeu a Teresa.

Poucas turmas tinham aulas à última hora da tarde. Como era um bairro com problemas, os professores tentavam organizar os horários de modo a que o maior número possível de alunos fosse para casa cedo. Assim, só uns quantos rapazes e raparigas circulavam pelos pátios durante aquele intervalo. Na entrada, duas avós faziam renda, enquanto esperavam que os netos saíssem.

— Isto de virem buscar «os meninos da mamã» à escola... — resmungou o Chico.

— Oh, Chico! Que disparate! Sabes muito bem o que tem acontecido nestas ruas. Até os mais velhos precisam de protecção, quanto mais os putos!

— Bem, lá isso é verdade! Mas irritam-me estas velhas aqui!

— Porquê? Quem é velho já não tem direito à vida? Não? — perguntou o João, indignado.

— Tens razão, pronto! Não batam mais! Eu é que estou morto por ir lá para baixo e irrita-me ter de estar à espera.

Tinham combinado aguardar que a campainha chamasse para a última aula. Não queriam mais ninguém metido no assunto e se encontrassem as tais pegadas os outros podiam ver.

Finalmente, o som agudo silvou pelos ares e poucos minutos depois os pátios ficaram vazios.

— Embora! Vamos!

Correram em direcção à zona onde o Pedro garantia ter visto escavar.

Felizmente, os empregados àquela hora estavam dentro dos pavilhões, ocupados com as limpezas.

— Foi onde?

— Ali mesmo, em frente à sala de Ciências!

O Chico aproximou-se da cerca e, para seu grande espanto, foi tudo fácil de mais! A cerca estava de facto cortada. No chão, desenhavam-se, nítidas, várias pegadas incrustadas na lama agora seca.

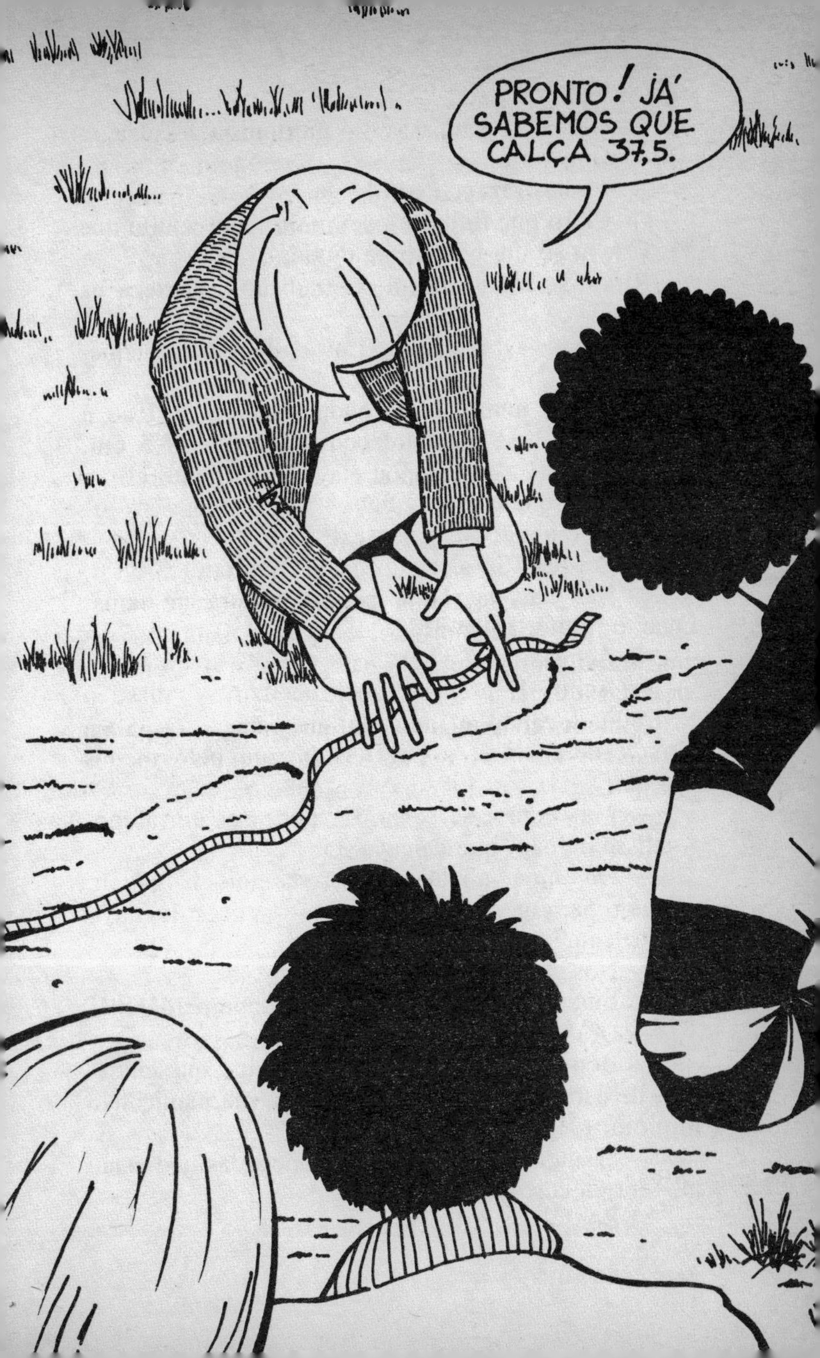
PRONTO! JÁ SABEMOS QUE CALÇA 37,5.

— Olhem só para isto! — murmurou a Luísa.

— Que sorte!

— Tinhas razão, Pedro!

— Claro que tinha! Eu sei muito bem aquilo que vi. Estava só um bocado na dúvida...

Riram-se todos com a contradição. «Certeza na dúvida!»

— Mede as pegadas, Luísa! Parecem pequenas...

A Luísa, muito despachada, deu um esticão à fita, acocorou-se e mediu com precisão: 37,5 cm.

— Pronto! — exclamou ela, com ar doutoral. — Já sabemos que calça 37,5.

— Que ideia! Nem penses!

— Porquê? Se o sapato mede 37,5 cm...

— Na, na, na! Uma pegada alastra na lama. Quanto muito, calça 35.

— Achas?

— Acho. É preciso saber deduzir — disse o Pedro, colocando o indicador na cabeça. — Se a lama estava mole, a pegada alastrou pelo menos 2,5 cm!

— Mas então, se calça 35, pode ser um aluno! — disse o João, que calçava 35.

— Ou uma aluna — acrescentou o Chico, olhando para os pés das gémeas. — Vocês quanto é que calçam?

— Nós? 36.

— Então vocês não foram! — troçou o João.

— Ora!

— Bom, esta pegada não era do tipo que eu segui, de certeza absoluta. Esse era um marmanjo. No mínimo, calça 41.

— Se medíssemos também as pegadas que estão ali fora da cerca?

— Boa!

Aproveitaram o buraco feito pelo possível assaltante para passarem para o lado de lá.

— Isto é prático! Escusa de se dar a volta à escola para entrar...

— Prático, é. Mas o pior é que assim entra quem quer! Ficamos à mercê de todo o gato-sapato — atalhou logo o Pedro, que se esgueirava com cuidado para não rasgar o anorak nos arames.

A Luísa já media, frenética, as pegadas do lado de fora.

— São todas iguais, não há dúvida. Só há pequenas diferenças de milímetros que dependem do alastrar...

— Repararam nestes buracos? — perguntou o João, enfiando os dedos numas covinhas redondas, muito perfeitinhas, que acompanhavam as pegadas.

— O que será isto?

— Isto? É esquisito! Parece que picaram o chão!

— Ontem, na reunião com a directora de turma, houve uma, a Raquel... — ia a começar o João. Mas a Teresa interrompeu.

— Olhem o que eu achei!

Triunfante, exibiu um botão enorme, hexagonal, de um cinzento antracite, muito brilhante.

— Que botão tão estapafúrdio! — exclamou o Pedro, pegando-lhe e rolando-o nas mãos.

— Parece um botão antigo — disse o João. — A minha avó tem lá uma caixa cheia de botões velhos e alguns são parecidos com este...

— A caixa! — berrou a Luísa.

— Qual caixa?

— A caixa de costura da mãe! Temos de nos despachar!

— O quê?

— Nada, nada! Vamos embora!

— Esperem! Temos de ir ao outro sítio!

— E isto?

— Guarda-se. Pode vir a ter interesse.

O Pedro guardou cuidadosamente o botão no bolso do anorak, que tinha fecho *éclair*.

— Vamos!

A operação seguinte foi mais rápida. As gémeas estavam inquietas e trataram de tudo num instante. Junto a um dos suportes, a rede estava frouxa e a toda a volta as pegadas confirmavam mais uma vez o que o Pedro dizia: eram muito maiores.

Seguiram-nas até ao caminho empedrado, onde desapareciam.

— Isto é mesmo um mistério!

— Mais um mistério para desvendarmos, que bom!

— É bom, sim, mas já estou com arrepios...

— Bem, amanhã pensamos nisto melhor! — disseram as gémeas, afastando-se, nervosas.

— O que é que lhes deu?

— Sei lá! Parvoíces de mulheres...

A Teresa e a Luísa corriam pelo passeio, olhando constantemente para o relógio.

— Bolas! Atrasámo-nos!

— Oxalá que a mãe se atrase também.

— Vais ver que sim!

Mas não! Mal meteram a chave à porta, ouviram logo um berro:

— O que é que vocês fizeram à minha caixa de costura?

— Hum...

— Chega uma pessoa a casa exausta e dá de caras com um pandemónio! Olhem para isto! Tudo espalhado!

— Hã...

— E a fita métrica? Onde está a fita métrica?

— Temos nós! Está aqui — disseram ambas.

A Luísa levou a mão ao pescoço, aos bolsos...
Nada.

— Tens tu?

— Eu? Tu é que tinhas!

— Perdemos, mãe. Perdemos a fita métrica na rua, mas vamos procurá-la.

— Não vão nada para a rua agora! Arrumem mas é isto tudo como deve ser!

E, com um suspiro, acrescentou:

— Ai, estas idades parvas...

capítulo 9

No Conselho Directivo

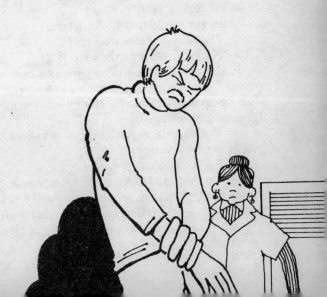

— Estão ali uns alunos a pedir para falar com o Conselho Directivo — disse a Dona Sara, entreabrindo uma porta de vidro.

As gémeas observavam-na, encostadas à esquerda. Era uma mulher baixa e roliça, com um aspecto sempre impecável, na sua bata cinzenta de botões dourados. De cara arredondada, de olhos escuros, sorridentes, e cabelo escuro também, ondulado e já com algumas brancas, era uma pesença constante e agradável na secretária da entrada. No ano anterior tinha estado doente uns dias e toda a gente estranhou! Faltava «qualquer coisa importante» na entrada da escola!

Uma voz perguntou lá de dentro:

— O que é que eles querem?

— Não sei, senhora doutora!

E a Dona Sara voltou-se para eles com uma expressão levemente interrogativa. Quereriam dizer-lhe de que se tratava? Fizeram-se desentendidos. E ela percebeu logo.

— Parece que é particular — explicou, disfarçando um leve sorriso.

— Então, que entrem.

A Dona Sara afastou-se e deixou-os passar. As gémeas entraram primeiro, seguidas pelo João, pelo Pedro e pelo Chico. Como eram muitos e o gabinete era pequeno, ficou de repente muito cheio. Talvez cheio de mais para uma conversa particular!

Duas professoras ainda novas aguardavam-nos, sentadas do lado de lá de uma secretária atafulhada de papéis, copos cheios de canetas, caixas de *clips*, dossiers e uma fisga com ar de ter sido confiscada há pouco tempo.

— Então, algum problema? — perguntou a que tinha uma camisola azul-forte.

— Hã... A «stôra» Rosinda não está? — tentaram as gémeas, com esperança de poderem falar com uma pessoa que conheciam bem.

— Não, a esta hora não.

— Ah!

— Mas o que é que se passa?

— Bem, é por causa dos assaltos à escola — adiantou-se o Pedro.

As professoras debruçaram-se imediatamente sobre a mesa, interessadas. E encorajaram-nos a continuar, perguntando apenas:

— Têm informações sobre o assunto?

— Temos! — responderam todos em coro.

— Então, vá lá, sou toda ouvidos.

— Encontrámos umas pegadas — disse o João.

— Pegadas?

— Sim!

As professoras olharam uma para a outra num relance e o Pedro julgou perceber o que elas estavam a pensar. Numa escola onde giram quase duas mil pessoas, era muito natural que houvesse pegadas por toda a parte! E, de resto, como seriam as pegadas no cimento?

— Vamos lá a ver com calma. Vocês de que turma são?

— Nós dois somos do 7.º-1.ª

— Nós somos do 2.º, do 2.º-8.ª

— E eu sou do 2.º-7.ª

— Ah! Mas que bem. Um grupo heterogéneo. Só falta trazerem alguém do 1.º ano!

A professora falara muito séria, mas eles desconfiaram que havia uma certa troça por trás daquela frase.

«Está a gozar-nos!», pensou o Chico. «Não vai acreditar em nada!»

E, para tentar impedir que se gerasse um mal-entendido, disse para o Pedro:

— Explica tu, sim?

O Pedro recordou rapidamente tudo, para seleccionar aquilo que pudesse impressionar mais as professoras. E decidiu:

— Ao fundo da escola, cortaram a cerca de arame. Nós vimos e até saímos pelo buraco.

— A cerca está cortada? Tens a certeza?

— Quando é que isso foi? É que este ano lectivo já esteve cortada e já foi arranjada.

— Foi ontem.

— Ontem? De certeza? Vocês viram alguém a cortar a cerca?

— Não. Ontem vimos que já estava cortada e saímos por ali.

— E eu — disse o Pedro —, anteontem, vi, da janela de um colega meu, um vulto agachado naquele mesmo sítio...

— Que horas eram?

— Sete e meia. Já era noite, por isso não se percebia bem se era homem ou mulher, ou algum aluno... Mas estava agarrado à cerca. Disso não tenho dúvidas.

— É estranho, ainda não recebemos nenhuma participação!

Só que, nem de encomenda! O Sr. Osório bateu à porta e entrou, desesperado.

— Dá licença?

E continuou logo:

— Cortaram outra vez a cerca ao pé do Pavilhão 4. Isto é que é uma matulagem!

As gémeas entreolharam-se, satisfeitas. Agora iam dar-lhes mais atenção! Mas quem continuou foi o Sr. Osório, que durante alguns minutos se fartou de reclamar, historiando todos os cortes e arranjos da cerca, desde o início do ano. E acrescentava de vez em quando:

— Assim não é possível! Isto é de mais!

A conversa foi interrompida por outra professora, que passou do lado de fora, e, vendo que estava gente, enfiou a cabeça pela janela.

— Desculpem lá interromper, mas a reunião ficou marcada para quando?

— Hã? O quê?

As professoras do Conselho Directivo nem perceberam à primeira do que lhes falavam agora. Era tanta coisa ao mesmo tempo, e tudo coisas tão diferentes!

— A reunião!

— Ah! Um momento, Sr. Osório... Esperem um minuto, filhos...

E, com gestos bruscos e apressados, começaram a vasculhar na papelada.

— A reunião... a reunião... ah! Cá está! Ficou para quarta-feira e à hora do almoço.

— Sempre à hora do almoço! Lá ficamos sem almoçar! — resmungou a cabeça.

Saíram do Conselho Directivo e não precisaram de dizer uns aos outros o que se tinha passado. A sensação de «comunicação cortada» era evidente para todos eles.

— No intervalo, vão ter ao sítio do costume! — propôs o Pedro, já a correr para o Pavilhão 1.

Mas as gémeas não precisaram de se cansar. Em sentido contrário, deparou-se-lhes um grupo da turma delas. Dirigiam-se à cantina, muito sorridentes.

— O *Pau de Canela* faltou outra vez.

— Aquilo é que é uma balda!

— Se calhar, ficou no cabeleireiro a pintar o cabelo num tom ainda mais alaranjado.

— Estas aulas com o *Pau de Canela* são sensacionais! É uma espécie de «aprenda sem mestre»... — exclamou o Paulo, na barracada do costume.

— Os professores têm faltas? — perguntou uma miúda.

— Acho que sim... Mas não sei bem.

— E se faltarem muito, não lhes acontece nada?

— O que é que queres que lhes aconteça? Não podem chumbar por faltas!

— Mas podiam expulsá-los!

— Isso também não era justo! Uma pessoa pode adoecer.

— Oh! A gente topa logo quando estão mesmo doentes e quando é treta!

— E não é só na cara. Os que faltam muito sem razão, geralmente são os piores professores.

— E os mais chatos.

— Alguns até dá a ideia que não sabem o que andam aqui a fazer.

— Hoje vocês estão do género professores de Moral. Deixa-os faltar! Assim vamos para o convívio e é mais gozo!

— Oh, Paulo, que parvo!

— Parvo, não! Paulo, Paulinho, o vosso namorado! Já se esqueceram?

— És mesmo idiota de todo! — respondeu a Luísa, muito corada.

— Se vierem comigo à cantina, ofereço-lhes um bolo a meias.

— Ora! Deixa-nos!

— Ah, não querem? Mais fica!

O Paulo fingiu afastar-se, mas voltou atrás e, colhendo as gémeas de surpresa, deu um beijo a cada uma e fugiu.

— Ai, se eu te apanho! — ameaçou a Teresa.

— Deixa-o lá agora, anda para aqui...

A Luísa conduziu a irmã para um banco de pedra, fora de mão. Queria evitar o resto da turma, para poderem conversar. Talvez enquanto esperavam conseguissem traçar um plano.

— Vamos pensar bem nisto tudo...

— Está certo, mas achas que podemos fazer alguma coisa, Luísa?

— Não sei. Mas, se fizermos, temos de agir sozinhos.

— Concordo. Alguns professores estão muito ocupados, outros nunca nos levariam a sério.

— Isso para não falar dos que se estão nas tintas...

— Claro! Portanto, o que fazemos?

A Luísa ficou uns segundos pensativa, apoiou a cara nas mãos e hesitou antes de falar.

— Eu há bocado tive uma ideia, mas não sei se é possível!

— Diz lá!

— Olha, tudo o que se passa de estranho aqui na escola é à noite, não é?

— É. Pelo menos, depois de a escola fechar.

— Portanto, para fazermos alguma coisa, tem de ser depois das sete e meia.

— Mas o que queres fazer?

— Montar um esquema de vigilância nocturna — respondeu-lhe a irmã, baixando a voz.

— O quê? Como?

— Passávamos uma noite na escola!

— Ó Luísa, estás doida? Os pais deixavam mesmo!

— Claro que não deixavam. Tem de ser às escondidas!

— Eu cá, acho que estou um bocado escaldada com o que temos feito às escondidas! Metemo-nos em cada bronca!

— Quem não arrisca, não petisca!

— Mas como é que conseguíamos safar-nos de casa?

— Sei lá!

— Espera, Luísa! Tive uma ideia bestial!

— Qual?

— Vamos aproveitar a noite em que os pais vão jantar fora?

— Hã? Isso era óptimo!

A Teresa olhou para o relógio, impaciente.

— Tomara que toque, para combinarmos melhor com eles.

capítulo 10

Planear...

O Pedro, o Chico e o João tinham considerado aquela ideia genial. Iam de novo meter-se numa aventura todos juntos. Que bom! Mas não foi muito simples organizarem os detalhes. Era necessário inventarem uma série de aldrabices, o que não lhes agradava muito. Mas o que haviam de fazer?

Tinham decidido que a primeira noite de vigilância seria entre as sete e trinta e as onze horas. Se não descobrissem nada, logo se veria o que programavam para depois. Mas, de qualquer forma, tinham esperança de que acontecesse alguma coisa e pudessem resolver o enigma logo à primeira. Agora, como sair de casa sem levantarem suspeitas? Os rapazes combinaram dizer que iam jantar a casa uns dos outros. E que seguiam juntos logo a seguir às aulas.

As gémeas tinham averiguado qual era o dia em que os pais saíam para jantar fora. Era quarta-feira. E, para seu grande espanto, souberam que esse jantar era em casa dos pais daquela miúda do primeiro ano, chamada Catarina.

— A Catarina é que nos pode ajudar!

— Como? — perguntara o Pedro.

— É que os meus pais, quando saem, telefonam sempre para casa a saber se está tudo bem...

— Ainda? Mas que bebés!

— Bebés? Os pais é que acham que somos bebés! Somos tão bebés como tu!

— Deve ser por serem meninas! — contemporizou o João.

— Que é que tem sermos meninas? Se calhar, não temos os mesmos direitos?!

— Têm! Lá isso têm! — disse o Chico, trocista.

— Têm o direito de pedir aos pais que não telefonem para casa...

— Não chateies! Sabes muito bem que não conseguimos mudar a mentalidade dos adultos de um dia para o outro!

— Vamos mudar é de assunto! O que é que vocês vão pedir à Catarina?

— Que entretenha os pais e não os deixe telefonar.

— Mas para isso tens de lhe dizer tudo!

— Hum... Ela parece de confiança!

— Vejam lá, não estraguem o programa.

— Não. A gente sonda primeiro, a ver como é que ela reage.

— Então, se vamos alargar o círculo de participantes, eu também digo ao Rui. Ele até já anda aborrecido, porque sempre que tenta falar da perseguição que fizemos, eu desvio o assunto. Devo fazer figura de anormal!

— E o que é que lhe vais dizer?

— A verdade. E peço-lhe que fique à coca lá de cima. Se por acaso nos víssemos aflitos aqui, podia telefonar à polícia. Desta vez ninguém nos garante que não apareça uma quadrilha.

— É boa ideia. Levamos lanternas e combinamos sinais.

— É preciso cuidado, hã? Se nos pomos a fazer sinais do meio do pátio, os assaltantes podem ver, e então é que estamos tramados.

— E podemos ser vistos de fora e chegar a polícia para nos prender! Ainda éramos considerados culpados!

— Não é nada disso. Eu combino com o Rui e escondo-me dentro de um arbusto. Faço sinais por entre as folhas e mais ninguém vê...

— E ele lá de cima também tem de ter cuidado. Luzes a acender e a apagar na janela podem alertar qualquer pessoa.

— Num 9.º andar? Não acredito! Mas podemos também dizer-lhe que, em vez de acender e apagar, passe em frente ao vidro com um candeeiro.

— Isso é melhor. Qualquer pessoa pode passar de um lado para o outro com um candeeiro, não dá que pensar.

— Vai ser óptimo — disse o João, ansioso por se encontrar envolvido numa peripécia excitante. — O pior é tantas horas ao frio...

— Se conseguíssemos um abrigo, era bestial.

— Isso era. Mas como? Os empregados fecham tudo à chave antes de saírem.

— Só se...

— O quê?

— Escondêssemos a chave de uma sala.

— Isso é difícil. E depois, davam logo pela falta...

— E se avariássemos o fecho de uma janela? Podíamos entrar e sair pela janela.

— Parece mais viável. Eu trato disso.

— Oh, Chico, mas cuidado, não te deixes apanhar!

— Sim, ainda te arriscas a ter um castigo, quando o que queres é vigiar e defender a escola.

— Mas ninguém acreditava, até aposto!

— Pois não! Cautela.

— Trago o *Faial*?

— Nem penses! O Sr. Osório solta sempre os cães cá da escola, à noite, e tínhamos aí uma luta de leões.

— Ainda se matavam!

— Que horror, coitado do *Faial*!

— É cada cãozarrão!

— E se eles se atiram a nós?

— A mim? Achas que algum cão me fazia mal? — perguntou o João, confiante no seu entendimento com os animais.

— Não te preocupes, que eles conhecem-nos pelo cheiro. Nunca morderam um aluno da escola.

— Então, está tudo combinado?

— Acho que sim.

Os dias que tiveram de esperar para a vigilância nocturna foram horrivelmente compridos. E não aconteceu nada que quebrasse a rotina. Estavam até já com medo de que o assaltante tivesse desistido e fosse um trabalho inútil. Mas não abandonaram a ideia.

Um empregado da escola, encarregado de fazer arranjos, já restaurara a cerca. Antes de saírem, iam sempre lá ver se continuava intacta. Tornariam a cortá-la ou não? E para quê? Não pensavam noutra coisa!

O dia esperado chegou finalmente. Estavam todos nervosíssimos. Até durante as aulas falavam no assunto.

— Luísa — sussurrou a irmã. — E se os pais resolvem não ir jantar fora?

— Que ideia! Claro que vão!

— O Chico terá conseguido avariar o fecho da janela?

— Sei lá! Parece que ele tinha feito uma experiência...

— Estou enervada, sabes? Ainda não ouvi peva do que se disse na aula!

A voz da professora interpelou-as.

— Gémeas! Responda uma de vocês.

94

Atarantadas, olharam ambas para a professora. Não faziam a mínima ideia de qual era a pergunta.

— Então?

Da carteira de trás uma colega tentou ajudá-las, soprando:

— A sul... a sul...

— A sul! — declarou a Luísa, com um ar entendido.

— A sul? A sul o quê?

— Hã...

— Não estavas a ouvir, pois não? Eu perguntei qual foi a última terra conquistada pelos portugueses aos mouros.

— Foi o Algarve — disse logo a Teresa.

— Pois foi. Vocês sabiam a resposta. Não sabiam era a pergunta...

As gémeas suspiraram. Tomara que chegue a noite!

capítulo **11**

Que noite!

A Catarina parecia muito mais nervosa do que de costume. Ofereceu-se para levantar a mesa sozinha, e tinha andado por ali a girar, como se não quisesse sair da sala. Depois, quando os pais se instalaram com os amigos para tomar café, insistiu em ser ela a trazer o tabuleiro com as chávenas. E não parava de fazer perguntas, ora à mãe ora ao pai das gémeas.

— Não têm filhos, pois não?

— Não, são só elas as duas.

— Ah! E que idade têm?

Pelo canto do olho, a mãe da Catarina observava-a, espantada. Que lhe teria acontecido? Sabia que ela era comunicativa, mas naquela noite parecia uma gralha. Nem os deixava conversar.

— Vá lá, Catarina — disse o pai. — Leva isto para dentro agora, está bem?

A intenção era óbvia. Mas ela fingiu não perceber. Levou rapidamente tudo para a cozinha e voltou. Desta vez foi pôr-se à janela da frente, olhando em direcção à escola.

— Que horas são? — perguntou a mãe das gémeas. — Daqui a nada, se não se importam, vou ligar para casa. Gosto sempre de saber se está tudo em ordem.

— Isto é uma mania, mas ficamos mais descansados — explicou o pai das gémeas.

— Claro! Com certeza. Nós também somos assim.

— Ai... Agora me lembro que tenho de fazer um telefonema!

A Catarina, muito corada, gaguejava na frente deles.

— Não se importam que eu fale primeiro, pois não?

E, sem esperar pela resposta, correu para a entrada e encostou-se à porta da sala para não a verem.

Daí a nada voltou a abri-la, fazendo um estardalhaço, a carregar nos botões do telefone.

— Está avariado! Está avariado! Não funciona! E agora? — suspirava, olhando os pais, saltitando para um lado e para o outro.

— Ó Catarina, calma! Está avariado, paciência, não é preciso tanta inquietação!

— Por nós, não se preocupem! Geralmente telefonamos, mas, se não é possível, também não há azar!

— Elas estão habituadíssimas a ficarem sozinhas.

A Catarina, escarlate, pusera o telefone de novo no seu lugar e anunciou:

— Estou cheia de sono, vou deitar-me.

A mãe deitou-lhe uma mirada, apreensiva. Que atitudes tão estranhas...

— Então, boa noite!

— Boa noite!

A Catarina recolheu ao quarto, com o coração a bater descompassado. Não estava habituada a mentir! Acabara de retirar a ficha do telefone e receava que dessem por isso. Como havia de se justificar? E as gémeas? O que é que se estaria a passar com as gémeas?

Deitou-se em cima da cama, vestida. Apagou a

luz, com a certeza de que não conseguia adormecer antes de todos saírem, para poder ligar o telefone e respirar fundo.

«Vai ser uma noite bem longa!» pensou. No meio das suas muitas preocupações, um sentimento vago de inveja aflorava. «Quem me dera estar lá com eles e participar numa aventura a sério!»

— Corremos o risco de nos metermos numa embrulhada — disse a Luísa, abrindo o farnel.

— Porquê?

— Supõe que aparece uma quadrilha inteira?!

— Hum... Duvido! E não te esqueças de que o Rui está lá em cima de vigia.

— E se ele adormece?

— Não. Ele deve estar ainda mais acordado do que nós. Lembra-te de que nunca entrou numa aventura — disse o Pedro, olhando pela janela da sala de aula.

E o que viu fê-lo sorrir. A luz de um candeeiro passava sucessivamente da esquerda para a direita e da direita para a esquerda, no vidro do 9.º andar.

— Coitado! Ele assim cansa-se! — comentou o Chico.

Estavam dentro da sala cuja janela o Chico tinha avariado com perícia. Fazia muito frio, e as gémeas, habituadas a programas daqueles, tinham-se lembrado de preparar um termo com cacau quente.

— Passa aí os copos de papel.

— Tem graça, ainda há bocado comi quatro sanduíches e já estou cheio de fome!

— Isso é do nervoso.

— Estás com medo, ó Chico?

— Por acaso não, até estou muito calmo. O meu receio é que não aconteça nada.

100

Sentados em cima das carteiras, comiam sem acender a luz. Não tiravam os olhos da cerca, senão para escolher no saco o petisco seguinte. Havia uns deliciosos croquetes de carne, ainda quentinhos, trazidos pelas gémeas. Folhados de salsicha, que o Pedro tinha comprado na pastelaria do largo. O João contribuíra com um bolo de mel, caseiro. E o Chico arrebanhara pataniscas de bacalhau. O cheirinho de comida boa misturava-se com o odor forte do cacau, desencadeando uma «operação devorar». Desaparecia tudo a um ritmo incrível!

— Não podemos deixar por aqui migalhas ou vestígios deste banquete...

Qualquer coisa desviou a atenção dos outros. Lá ao fundo, algo se movimentava em direcção à cerca.

O João engoliu um pedaço quase inteiro, arregalando os olhos.

— Olhem! Olhem!

Encostaram a cabeça ao vidro, olhando fixamente o vulto que se inclinava para o chão.

— Quem será? — murmurou o Pedro.

— Achas que vai cortar a cerca outra vez?

— Não tenho dúvidas!

— O que é que fazemos?

— Daqui não se vê quase nada.

— Temos de nos aproximar...

— Achas?

Instintivamente, olharam para cima. O candeeiro andava num badanal!

— Daqui a nada pega fogo à casa!

— Ou dá nas vistas...

— Está a querer chamar-nos a atenção.

— Oxalá não chame a atenção de mais ninguém.

— O vulto... Estás a ver? É só um...

— Se é só um, vamos lá — disse o Chico. — Somos cinco, chegamos para ele.

— E se está armado?

— Hum... Não sei porquê, não me parece.

— Mas é melhor termos cuidado.

— Se fôssemos a rastejar? Podíamos agarrar-lhe uma perna.

— Os cães? — perguntou o João. — Não os vejo!

— Que raio de cães de guarda!

— Devem estar a rondar pelo outro lado. A escola é tão grande!

— E o tipo é bastante silencioso!

— Como é que sabes?

— Não ouço nada...

— Ora! Daqui nunca conseguias ouvir.

— Então, vamos! De que é que estamos à espera?

— Abre a janela com cuidado.

O Chico empurrou o vidro e passou para fora, esgueirando-se pela abertura estreita. Em seguida ajudou os outros. Deitaram-se todos no cimento.

— Brr... Que frio! Estou toda arrepiada!

Rastejar não era lá muito fácil. Sobretudo para elas.

— Como é que não nos lembrámos de vir de calças? — queixou-se a Luísa, em voz baixa. — Estou a aleijar-me nos joelhos...

— E a roupa vai ficar linda!

O vulto continuava agitando-se de encontro à cerca. Ouviam-se uns ruídos metálicos. Parecia estar sozinho, mas não podiam ter a certeza. Os cúmplices talvez se escondessem ali, algures. O Chico ia um pouco à frente, colado ao chão. «Tzzzt!»

— Rasguei as calças nos joelhos, bolas!

Naquela zona já não havia cimento e, ao apoiar as mãos na terra, a Teresa deu um uivo de dor. Acabava de espalmar a mão esquerda em cima de um caco, que se lhe enterrou na carne.

102

O vulto ergueu-se imediatamente. Parecia olhar para todos os lados... Estaria com medo? Permaneceram quietos, prendendo mesmo a respiração para ouvirem melhor. O vulto deteve-se um instante e depois afastou-se. Mas muito mais lentamente do que seria de esperar. Atarantados, ficaram a ver o que acontecia. Para grande desespero de todos, não aconteceu mais nada.

Assim que se levantaram, pensando então persegui-lo, era tarde de mais. Acabava de desaparecer por trás da coluna do prédio em frente.

— Que chata, Teresa!

— Chata? Olha para isto!

A Teresa mostrou a mão, com um corte profundo.

— E para isto!

A Luísa apontou a saia rasgada, toda suja, o joelho esfolado e a camisola sem botões.

— Estamos fritas!

— Tens de ir desinfectar isso — disse o Pedro.

— O melhor é irmos embora!

— Fomos tão parvos!

— Eu, antes de ir embora, quero verificar se ele cortou a cerca ou não.

O Chico correu para o local e enfiou os dedos, levantando a rede.

— Olha! Cortou outra vez por aqui!

— É sempre no mesmo lugar.

— Então, sai já por aí.

— E o saco do farnel? E o termo?

— Nós vamos lá buscar. Vocês vão andando para casa. A Teresa tem de desinfectar a mão. E tratem de correr, não convém que nos vejam.

As gémeas aceitaram a sugestão e fugiram pelo buraco da cerca, direitas a casa, que nem dois foguetes. Os rapazes voltaram à sala de aula, bastante descoroçoados.

— Que parvoíce! Se não temos hesitado tanto, apanhávamos o gajo mesmo em flagrante.

— Nestas coisas não se pode ser indeciso.

O Pedro arrebanhava os restos para dentro do saco de pano e, com todo o despacho que lhe tinha faltado ainda há pouco, atirava copos e guardanapos de papel para o caixote do lixo.

— Fomos uns parvos! Fomos uns parvos! — repetia o Pedro, sem cessar.

— Pedro! Uma luz! Olha! Uma luz dentro da escola!

O Chico, sem tomar qualquer precaução, saltou para o pátio e correu direito ao ginásio. Lá ao fundo, alguém se movia com uma lanterna! Parecia procurar alguma coisa no chão.

Os outros acorreram também, desta vez fazendo tanto barulho que o homem ouviu...

A luz da lanterna apagou-se imediatamente. E já muito perto ouviram-lhe a respiração ofegante. Com dois saltos, atingiu a rede e, trepando com agilidade, desapareceu na noite, em direcção ao bairro velho!

O Pedro agarrou-se à rede, furioso!

— Bolas!

Mas a mão sentiu qualquer coisa macia entre os arames... Seria uma pista? Com cuidado, retirou um pedaço de tecido aos quadrados.

— O homem rasgou o casaco!

— Guarda isso, Pedro! Pode servir para identificar o dono!

— Hum... Duvido! Mas também acho melhor guardar.

— Por que será que fazem isto, hã? Um vem cortar a cerca, outro vem fazer não sei o quê, noutro lado da escola.

— Temos de descobrir!

— Fomos muito parvos, não fomos? — perguntou o João.

— Acho que sim! Organizámos tudo, viemos para aqui, os assaltantes também, e nós...

— Nós, olha, não apanhámos o primeiro por sermos indecisos e não apanhámos o segundo por sermos decididos de mais.

— Que noite tão estúpida! — exclamou o João, abrindo os braços com desânimo.

capítulo 12

Debate na aula
de Português

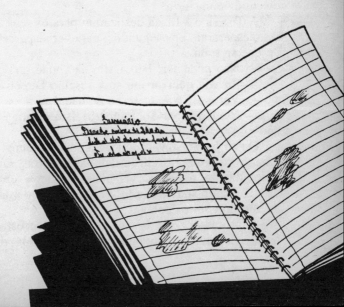

As gémeas chegaram ligeiramente atrasadas e bateram ao de leve no vidro da porta, pedindo licença para entrarem. Felizmente, era Português! Aquela professora nunca deixava os alunos lá fora e também nunca mandava nenhum para a rua. Tinha uma paciência infindável para todos! E nunca se recusava a ouvir e debater os problemas que surgissem ou de que lhe quisessem falar.

Abriu a porta com o mesmo sorriso plácido do costume e nem perguntou por que é que se tinham atrasado. Qualquer coisa mais grave estava a ser discutida com fúria.

A Teresa e a Luísa deslizaram para os seus lugares e esperaram uns segundos, para ver se percebiam de que se tratava.

— Não pode ser! Isto assim não pode ser!

— Eu vou queixar-me ao Conselho Directivo!

— Vai, vai! Não te serve de nada!

— Nem que vá ao ministro! Isto assim é que não!

Quem barafustava eram os alunos. Alguns estavam de pé, embora sem saírem das carteiras. Outros gesticulavam sentados. Os mais pacíficos, embora sem se manifestarem muito, via-se bem que estavam de acordo com os colegas.

A professora, de braços cruzados, encostada à mesa, deixava-os expandirem-se sem nada dizer.

Era sempre assim. Uma vez até tinha explicado, na sua voz doce e apaziguadora:

— Quando uma pessoa está fora de si, precisa de gritar um bocado para se ver livre da raiva. Só depois é possível fazê-la ouvir as razões dos outros... Fazê-la dialogar!

A Teresa e a Luísa olhavam-na, fascinadas! Ambas adoravam a professora de Português. E gostavam imenso de conversar com ela sempre que surgia uma oportunidade. Eram momentos agradabilíssimos, porque não eram tratadas como bebés, nem como alunas, mas sim como amigas. Acima de tudo, o que mais as encantava é que sentiam que a professora gostava mesmo de as ouvir, tinha prazer na conversa.

— Lá está ela a deixá-los «libertar-se da raiva»! — comentou a Luísa, baixinho.

— E os ânimos vão começar a acalmar, queres ver?

Com efeito, como ninguém os contradizia, e já tinham berrado bastante, a pouco e pouco os refilões baixavam de tom.

— Quando começam a repetir as mesmas frases, está quase na hora do diálogo! — lembrou a Teresa, com um sorriso.

— Isto não pode ser! Isto não pode ser!

Vermelho de fúria, com os olhos brilhantes de choro contido, o Manel sentou-se e engoliu em seco.

A professora aproveitou imediatamente a pausa.

— Posso falar eu agora?

E, sem esperar pela resposta, continuou, percorrendo a sala com um olhar compreensivo e atento, que cada um sentia dirigido a si.

— Antes de mais nada, vocês têm toda a razão.

Um suspiro de alívio colectivo fez baixar a tensão nervosa. Alguns mexeram-se nas carteiras, outros distenderam os músculos. Na cara congestionada do Manel apareceu até a sombra de um sorriso. É sempre agradável ouvirmos dizer que temos razão!

— De que é que estavam a falar? — perguntou a Teresa às colegas de frente.

— Das notas de Matemática. Encontrámos o «stôr» à entrada e ele disse que só havia quatro positivas no ponto...

— Que horror!

— Por isso está tudo furioso.

— E quem é que teve positiva?

— Não sabemos. Ele não disse.

— As meninas aí do canto, podem calar-se um instante?

Endireitaram-se as quatro imediatamente. Era engraçado, a professora dizia as coisas como se fossem pedidos, mas na verdade eram ordens e prontamente obedecidas.

— Bom, eu gostaria que vocês me expusessem o problema com mais calma, para eu perceber bem o que se passa. Mas fala um de cada vez, está bem? E os outros todos ouvem, para acrescentarem qualquer coisa quando chegar a vossa vez. Mas têm de pedir a palavra!

Vários braços ergueram-se imediatamente. A professora decidiu:

— Vou dar a palavra ao Paulo, agora, pois ele era um dos mais enfurecidos.

As gémeas sentiram um calor inesperado nas bochechas.

«Que buxa! Isto de corar é uma chatice», pensaram. «Oxalá que ninguém note!»

O Paulo, que tanto tinha gritado ainda há pouco, agora que o mandavam falar parecia entupido.

110

— Então, Paulo? Queres explicar em nome de todos o que há com a Matemática?

O Paulo sacudiu a cabeça bruscamente, abriu e fechou a boca, tossiu e acabou por se levantar.

— O «stôr» de Matemática não ensina nada. Por isso é que temos todos negativa!

A professora riu-se.

— Isso é uma declaração tão grave quanto vaga!

Um coro de vozes elevou-se imediatamente.

— Mas é verdade!

— Calma! Não combinámos pedir a palavra? Se agora falasse o Jorge? Ele com certeza tem positiva e por isso talvez consiga ser mais objectivo.

O Jorge falou do lugar e todos se voltaram para o ouvir.

— O professor de Matemática não se explica bem. A maior parte das vezes não percebemos aquilo que ele diz, às vezes fala de costas para nós, a escrever no quadro... E o pior é que não dá tempo para passarmos a matéria para os cadernos. Apaga tudo, ainda vamos a meio...

— E diz que nós somos muito moles!

— Mole é ele! O parvo!

— Então, Manel? Agora estava o Jorge a falar!

— Mas eu também quero falar!

— Está bem, já que tanto insistes, então fala.

— As aulas são uma balda! Ninguém liga nenhuma, está tudo a conversar e ele faz de conta que não vê. É um mau professor e nem sequer sabe impor respeito.

— Nem parece um professor!

— Bom, vamos lá a ver, antes de eu me pronunciar — disse a professora. — Todos concordam com o que foi dito aqui? É a opinião geral acerca das aulas?

Os alunos olharam uns para os outros, a ver se

alguém discordava. Mas não. Alguns acenavam que sim, outros afirmavam mesmo:

— É!

— Eu gostava de dizer mais uma coisa — pediu o Jorge.

— Diz.

— Eu também não percebo nada das aulas. Se tenho positiva, é porque tenho explicações.

Os colegas lançaram-lhe um olhar de admiração. Aquele Jorge era bestial!

— Era só isso, Jorge? — perguntou a professora.

— Era.

— Muito bem, compreendo. E foi importante o que disseste. Agora, vão ouvir o que eu tenho para dizer sem começarem já aos gritos, está bem? E prestem atenção, que é importante.

A professora parou um instante para verificar até que ponto estavam atentos. E, sentindo-os suspensos do que ia dizer, continuou:

— Compreendo o vosso problema, e acho que é necessário encontrar uma solução. Mas quero alertá-los para uma coisa em que vocês com certeza nunca pensaram: é que os professores também têm os seus problemas.

— O problema deste é ser parvo — resmungou o Manel.

Mas apanhou logo uma cotovelada da esquerda.

— Cala-te!

A professora não parecia afectada. Conhecia-os bem. Sabia que o silêncio total, durante muito tempo, era quase impossível. E, quando se dispunha a conversar com eles sobre um assunto, chamava a si tanta paciência, que até sobrava, se fosse preciso.

— A Ana Cristina disse há bocado uma coisa interessante: que ele não parece um professor. E sabem por que é que é interessante?

Um vago «não» ouviu-se de várias bocas.

— Porque ele não é, de facto, um professor, nem nunca pensou ser.

Aquela afirmação inesperada colheu-os de surpresa. Não é professor?

— Bom, o vosso professor de Matemática tirou o curso de engenheiro e preparou-se para uma vida completamente diferente. Quando acabou o curso, já tinha um emprego em vista e tudo mais ou menos encaminhado para se casar.

As meninas agitaram-se nas carteiras. Quem seria a noiva?

Com um sorriso imperceptível, a professora continuou:

— Bem, o emprego falhou. E como não conseguiu arranjar mais nada, concorreu para dar aulas de Matemática. Mas está revoltado, e sem gosto pelo que tem de fazer.

— Então, que se vá embora!

— Essa era uma solução... mas para vocês! Porque ele tem de ganhar a vida!

— Então, que dê aulas como deve ser!

— Pois é! Mas ele não sabe dar aulas como deve ser, e ainda não teve tempo de aprender.

Aprender a dar aulas? Ali estava uma ideia gira, que nunca lhes tinha ocorrido!

— Aprender a dar aulas? — disse a Teresa, em voz alta.

— Mas isso também se aprende?

— Tudo se aprende. Não é só por acaso que com alguns professores vocês aprendem melhor e com outros pior!

— Julguei que era uma questão de jeito!

— Também é. Mas não é só. Uma pessoa pode ter jeito e boa vontade, mas não saber!

— Ele não tem jeito nem boa vontade!

113

— Estás enganado. Ele ainda não se adaptou à ideia de que durante algum tempo terá de ser professor!

— E o que é que a gente há-de fazer? Enquanto ele se adapta e não adapta, chumbamos todos!

— Todos, menos quatro...

— E esses quatro é porque têm explicações em casa!

— A primeira coisa que eu disse é que tínhamos de encontrar uma solução. É por isso mesmo que estou a tratar deste assunto na aula, não é? Bom, de momento, as únicas pessoas que podem fazer alguma coisa para que as aulas de Matemática corram melhor, são vocês.

— Nós?

— Sim. Têm de falar com ele. Explicar que assim não conseguem acompanhar as aulas, que precisam de mais tempo para copiar o que está no quadro...

— Ora! Ele não liga nenhuma ao que a gente diz!

— Porque é que dizes isso? Já tentaste?

— Não.

— Vês?

— A «stôra» não pode falar com ele?

— Posso, posso até combinar um debate convosco em que eu esteja presente.

— Isso! Faça isso! — pediram várias vozes em coro.

— Está bem, mas não julguem que uma conversa faz milagres, hã? Uma conversa só serve para «começar» a resolver o problema. Vocês sabem muito bem que, quando um professor tenta convencer um aluno a portar-se bem, por exemplo, nunca consegue nada com uma conversa, pois não?

Riram-se. Claro que não! Na cabeça de cada

um, surgiam várias imagens de professores, pais, avós, a dizerem muito zangados: «Já estou farto de repetir a mesma coisa!»

— Pois agora é o inverso. Vocês vão ter de conduzir o professor a pouco e pouco... Com muita paciência. E eu posso chamar-lhe a atenção para aspectos muito concretos, como a velocidade. Sabem que aquilo que um professor faz num determinado tempo, os alunos precisam do triplo do tempo para o fazer?

— Como é que sabe? — perguntou o Jorge, admirado.

Foi a vez de a professora se rir.

— São experiências que têm sido feitas, precisamente para tornar o ensino mais eficaz. A experiência é muito importante. Os professores que se preocupam com estas coisas, quando fazem um ponto, resolvem-no sempre primeiro em casa. E se por acaso demoram meia hora a responder, então não dá!

— Porque os alunos precisavam de hora e meia e só têm uma hora, não é?

— Claro! Estas e outras regras só se aprendem com o tempo, com a experiência, com o contacto com outros professores que também relatam as suas experiências... Por exemplo, está provado que, quando os alunos fazem trabalhos de casa, têm sempre melhores resultados!

— Oh! Trabalho de casa é uma chatice!

— Atenção! Não é um trabalho dificílimo, compridíssimo... daqueles que vocês fingem que se esqueceram ou copiam por um colega no intervalo! O ideal é duas ou três perguntinhas que podem ser respondidas num instante. Assim, se perceberam, ficam a saber melhor. Consolidam os vossos conhecimentos.

— Isso é verdade! — disse o Paulo.

— E, se não perceberam, podem pedir ao professor um esclarecimento.

— Isso é que era bom! Há professores que nem corrigem o trabalho!

— E outros não querem perder tempo com esclarecimentos. Dão o trabalho de casa quase como quem dá um castigo.

— E nem se ralam em saber se foi copiado ou não! O que importa é que as respostas estejam no caderno!

— Tenham paciência, mas isso não é o normal. Pode ser que alguns reajam assim, mas não é a maioria. Não se pode generalizar.

— Também é verdade! Há professores que explicam as vezes que for preciso, quando a gente diz que não percebeu...

— A maioria, podem crer, fica contente com o interesse dos alunos!

— Ó «stôra», vamos combinar o tal encontro! Eu sempre fui bom aluno a Matemática, e agora não pesco nada!

— Fiquem descansados, que eu não me esqueço. E, como está quase a tocar, o que é que havemos de escrever no Sumário?

— Debate sobre o professor de Matemática — propôs o Paulo.

— Isso é desagradável para ficar escrito. Quem ler, não sabe sobre o que foi o debate e pode fazer maus juízos. Vamos antes escrever «Debate sobre um problema da turma». Concordam?

— Concordamos.

— Vai tu ao quadro, Cristina — disse a professora. E acrescentou: — É bom termos cinco horas semanais de Português. Assim, podemos ocupar algumas aulas a discutir assuntos do vosso interesse, quando é necessário!

— «Stôra»!

— Que é, Júlia?

— Esqueci-me do caderno em casa. Posso pedir uma folha para escrever o Sumário?

— Podes.

A colega do lado tirou uma folha do *dossier* e passou-a à Júlia.

— «Stôra»!

— Que é agora?

— Não sei o que é que tem a carteira, mas a folha ficou cheia de gordura.

A Júlia, admiradíssima, levantou o papel, onde alastrava uma nódoa amarela.

— Mas que estranho! Parece que alguém esteve aqui a comer. O meu caderno também está todo sujo!

— Tem de se dizer à empregada. Aliás, eu já tinha reparado que o caixote do lixo está cheio de copos de papel sujos de cacau...

O som estridente da campainha abafou as vozes, para grande alívio das gémeas, que escreviam, escreviam, de cabeça baixa.

capítulo 13

Que haverá na sala de ferramentas?

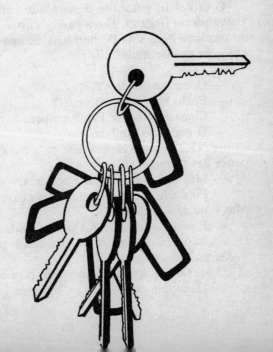

O professor de Trabalhos Oficinais abriu a porta da aula com ar muito mal-disposto.

— Bom dia, «stôr!»

— Vão entrando... O delegado de turma que chame o Sr. Osório.

Os alunos, sabendo que iam sair em visita de estudo, arrumavam as pastas no chão, ao fundo da sala, tirando apenas a caneta.

O professor passeava de um lado para o outro, visivelmente irritado. Dava passos curtos e as botas de camurça com sola de borracha faziam-no oscilar como se tivesse molas nos pés.

— «Stôr!»

— Que é que queres?

— Então não vamos à visita?

— Claro que vamos. Estou à espera do Sr. Osório.

— O quê? Ele também vai?

— Não! Estou à espera dele para me abrir a despensa das ferramentas.

— Mas não costuma estar fechada!

— Pois não, porque eu tenho a chave e abro-a. Mas hoje não consigo.

— É preciso ferramentas para a visita?

— Não. Eu deixei lá dentro umas fichas para vocês preencherem...

O Sr. Osório apareceu entretanto com o delegado.

— Há algum problema? — indagou.

— É a porta da despensa das ferramentas. Ou está emperrada ou mudaram a fechadura entretanto, não sei.

— Mudar a fechadura, não se mudou. Isso posso eu garantir! Agora, talvez esteja emperrada, isso é possível.

O Sr. Osório dirigiu-se para a despensa e tentou fazer girar a chave da fechadura. A chave girou sem qualquer dificuldade nos dois sentidos, mas a porta não abriu.

— Oh! Mas que coisa!

— Parece magia. A chave gira e a porta não abre!

O professor e os alunos rodearam o Sr. Osório. Todos quiseram experimentar. Mas a porta nem abanava.

— Isto é coisa do assaltante do costume!

— Ora! Nunca vi um assaltante que, em vez de arrombar portas, fecha uma a sete chaves!

— Mas este assaltante é muito original. Nunca levou nada, gosta é de fazer parvoíces.

— Até já há quem diga que não há assaltante nenhum!

— Dizem que é bruxedo!

— Que estupidez!

O Sr. Osório, já bastante enervado, abanou a porta com toda a força, encostando-lhe um joelho. Ao abanar, ouvia-se um barulho esquisito, mas a porta não cedia.

— Se não é bruxedo, é enguiço!

— «Stôr»! «Stôr»! Olhe ali!

O Rui apontava um brilho metálico na frincha.

— O que é?

— O que é aquilo?

— Aquilo é um trinco! — disse o Rui, assombrado. — Alguém pôs um trinco por dentro da porta!

— Por dentro? Estás doido! — disse o professor, espreitando.

— Não estou! Repare!

Não havia dúvidas. Na frincha da porta via-se nitidamente a lingueta de um fecho metálico.

— Mas isto não é possível! — exclamou o professor. — A despensa não tem outra saída, não tem janelas! Como é que se pode montar e fechar um trinco por dentro?

— Se calhar, quem pôs o trinco ainda está lá dentro! — arriscou uma aluna, arregalando os olhos.

— Está aí alguém? — perguntou o Sr. Osório, dando murros na porta.

Ninguém respondeu.

— Deixe-me tentar, ó Sr. Osório.

O professor enfiou a ponta de uma chave de fendas na frincha, tentando arredar o trinco, mas não conseguiu.

— A única solução é arrombar a porta! — disse o Sr. Osório.

— Espere! Talvez...

— Ó «stôr», deixe arrombar! Temos de tirar isto a limpo! — pediu o Chico, esfregando as mãos.

— Afastem-se todos!

O Rui e o Chico recuaram, tomando posição de combate, com as pernas flectidas e os braços arqueados. Os colegas fizeram alas, bastante divertidos.

O professor ainda tentou impedi-los.

— Esperem aí! Temos de falar primeiro ao Conselho Directiv...

«CRÁS! CATAPOUM!»

Tarde de mais! O Rui e o Chico, correndo de lado, acabavam de meter a porta dentro.

— Magoaram-se? — perguntou o professor, atarantado.

122

— N...ão!

O Chico arrancava lascas de madeira da camisola.

O Rui afastou-se, com uma tontura.

— Pronto! Agora alguém que veja o que está lá dentro, que eu só vejo «estrelas!»

— Um momento! — disse o Sr. Osório, de dedo no ar. — Eu vou primeiro! Ninguém mexe em nada, hã?

O Sr. Osório, muito solene, deitou mãos a uma tábua e puxou-a para si, fazendo estalar a madeira.

Os alunos seguiam-lhe os movimentos quase sem respirar. Iriam dar de caras com o assaltante? O que se encontraria atrás da porta esfacelada? «CRÁSSCH! JRAPT! RRRRPRÉC! PRÉCT!»

Soltas que foram várias tábuas, formou-se um buraco no meio da porta. O Sr. Osório espreitou por ali.

— Então? O que é que há?

— Não se vê nada! Está muito escuro.

— Meta por aí a mão e abra o trinco! — sugeriu o professor.

— Era isso mesmo que eu ia fazer.

O trinco deslizou para trás e a porta abriu-se. Precipitaram-se todos lá para dentro, mas... «AIIII»!

Os dois primeiros caíram num buraco.

— O que foi? — gritou o professor, acendendo a luz.

E, pasmado, ficou sem fala. O chão da despensa tinha desaparecido. Alguém escavara um enorme buraco, deixando montículos de terra, pedras e pedaços de cimento encostados à parede.

— Ah!...

— Hum...

— Santo Deus! — murmurou o Sr. Osório, incrédulo. — Não posso acreditar...

— Tirem-nos daqui! — pediram os dois alunos que tinham caído no buraco.

Vários braços estenderam-se, prestimosos.

— Upa!

— Força!

— Cuidado, não caia mais nenhum.

— Partiram alguma coisa?

— Hum... Acho que não! — disse um deles, esticando-se e sacudindo a roupa.

— Isto não tem fundo — exclamou o outro. — Só não desaparecemos, porque eu fiquei entalado. Mas não senti o fundo debaixo dos pés.

— A sério?

— Alguém tem uma lanterna?

— Eu tenho aqui o isqueiro — disse o professor, vasculhando nos bolsos. — Cheguem-se para trás!

O professor acocorou-se e acendeu o isqueiro. Uma luzinha ténue iluminou um verdadeiro poço.

— Realmente, não se vê o fundo!

— Fundo tem de ter...

— Eu já lhes digo se tem fundo ou não...

O Chico adiantou-se, destemido como sempre.

— «Stôr», afaste-se, que vou descer.

— Não! Espera! Ao menos, pendura-te numa corda.

— Não é preciso. Saiam lá! Não pode ser muito fundo e eu estou farto de descer a poços.

O Chico enfiou primeiro as pernas, apoiando o tronco na borda do poço. Depois, tacteou com os pés, à procura de pontos de apoio. E, usando toda a sua força e destreza, começou a deslizar suavemente.

— Apoia-te nos lados!

— Calma, que eu sei o que estou a fazer.

Em silêncio e grande expectativa, assistiram ao desaparecimento do Chico pela terra dentro... E foi tudo tão rápido, que nem o professor o conseguiu impedir. Quando ia a reclamar, já ele lá não estava.

— Chico!

— Chi-co!

— Valha-me Deus! — disse o Sr. Osório. — Como é que o deixámos enfiar-se ali?

— Eu vou descer também! — disse o professor.

— Deixe-me ir a mim!

— Vou eu! Vou eu!

— Esperem! Deixem ver primeiro se ele responde, senão ainda lhe caímos em cima!

— Chico!

— Estará aflito?

— Terá desmaiado no fundo?

— Se calhar, tinha água e morreu afogado! — choramingou uma colega.

— Parva! Se houvesse água, a gente ouvia!

— Ouvia o quê?

— Ouvia «chlep»!

— E ele gritava!

— Mas o que é que achas que lhe aconteceu?

Os alunos formavam um novelo de cabeças, debruçando-se todos para o buraco do chão.

— O que é que lhe terá acontecido?

— Nada! Estou aqui!

A voz do Chico!

Voltaram-se, assombrados, e deparou-se-lhes o Chico, coberto de terra, raízes de plantas, folhas e ervas, sorrindo, triunfante.

— Chico!

— Acabei de sair do túnel. Aquilo não é um poço, é um túnel!

— Hã?

— É isso mesmo. Um túnel. Saí por trás da despensa, no meio de tufos de ervas altas. Nada mais fácil!

126

— Fácil?

— Mas para que é que serve?

— Isso não sei!

As raparigas rodearam logo o Chico, sacudindo-
-lhe a roupa e tirando-lhe, solícitas, folhas do cabelo
e da camisola.

— Não tiveste falta de ar? — perguntou-lhe
uma.

— Oh! Eu estou muito habituado a estas coisas!

— «Stôr», posso descer também? — pediu um
rapaz.

— Nem pensar! Mais ninguém desce, que para
susto já bastou. Ó Sr. Osório, chame alguém do
Conselho Directivo, que eu vou ver se faltam ferramentas.

O professor virou-se para as prateleiras da direita, pegando numa lista plastificada para começar a
conferir. Não foi preciso mais nada. Dois alunos
piscaram o olho aos colegas e zás! Desapareceram
pelo túnel dentro.

capítulo 14

Um enigma

O João não conseguia concentrar-se de maneira nenhuma. E não era o único! O que se passava na escola era tão empolgante, que vários alunos se sentiam obcecados. Não pensavam noutra coisa!

Corria o boato de que a escola ia fechar para averiguações. E ouviam-se por todo o lado as histórias mais estapafúrdias! Uns, diziam que os túneis eram armadilhas de bandidos que queriam rebentar com a escola, não se sabia muito bem porquê. Outros, garantiam que era um mestre-de-obras que fazia tudo para assustar, na ideia de conseguir que a escola fechasse de vez, e assim poder comprar os terrenos à câmara e construir mais prédios. Entre algumas empregadas só se falava de bruxas e do diabo.

— Aquilo são coisas daquela mulher desdentada... Passou aqui o ano a fazer ameaças, que lançava uma maldição à escola se a filha chumbasse!

— E chumbou?

— Chumbou, pois! Ela bem disse que nos havíamos de arrepender todos... Agora, não há sossego!

— Ó Dona Amélia, não ande por aí a espalhar essas coisas! Isso são tolices!

— Ora! Eu cá sei da minha vida...

O João recordava a conversa das empregadas, completamente absorto. A professora passava diapositivos com a sala obscurecida por cortinas de fla-

130

nela preta. E dava explicações detalhadas sobre cada fotografia que aparecia no *écran*. Devia ser interessante, porque estavam todos calados. Ou então, tal como ele, pensavam noutra coisa muito diferente! Haveria ou não um mistério estranhíssimo na escola? Seria qualquer coisa sobrenatural? Ou, no fundo, quando se viesse a saber a verdade, revelar--se-ia, afinal, muito simples?

Naquele momento, o *écran* apresentava a fotografia de uma estátua esquisitíssima e enorme, que lhe desviou o curso dos pensamentos.

— Isto é a esfinge — disse a professora. — É uma estátua que se encontra nas areias do Egipto, junto do rio Nilo. Sabem onde é o Egipto?

E, na dúvida, apontou o mapa da bacia do Mediterrâneo.

— Mas que grande estátua! — comentou a Raquel.

— É enorme. Mede dezassete metros de altura e trinta e nove de comprimento.

— E para que é que construíram uma estátua tão esquisita? — insistiu a Raquel.

— A esfinge era uma divindade, simbolizava o Sol. Reparem agora bem, que é uma figura fora do vulgar: tem corpo de leão, cabeça de pessoa...

— Tem cara de mulher!

— E o nariz?

— O nariz desapareceu, esboroou-se.

— O toucado é parecido com o dos guerreiros da *Galáxia*.

— Da *Galáxia*?

— Sim! É um filme de aventuras no espaço, que dá na televisão.

A professora riu-se.

— Então, nesse caso, os capacetes do filme é que são parecidos com este. A esfinge tem mais de três mil anos...

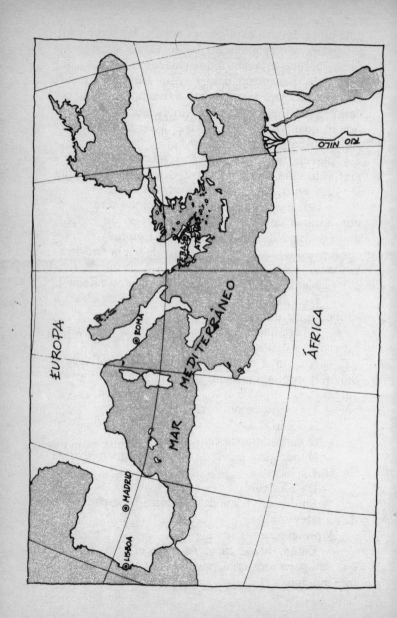

— Ena tantos!

— Bom, prestem atenção agora. Esta esfinge é do Egipto. Mas os gregos também tinham uma esfinge, só que um pouco diferente.

— Em quê?

— A esfinge dos gregos tinha corpo de leão, tronco e cara de mulher, e asas de águia.

— Devia ser mais gira!

— E também era símbolo do Sol?

— Não. Para os gregos, a esfinge era o símbolo do poder e da sabedoria.

Sem dar por isso, o João esquecera as suas preocupações e seguia, atento, a explicação da professora.

— Na Grécia, havia uma lenda relacionada com a esfinge... Uma lenda muito engraçada!

— Conte, «stôra»!

— Não sei se dá tempo!

— Conte! Conte!

Era sempre assim. Quando a professora não dizia logo qualquer coisa, despertava-lhes muito mais o desejo de saber!

— Então, ouçam lá com atenção, porque está quase a tocar.

— Não faz mal. Mesmo que toque, ficamos a ouvir.

— Olhem bem para a estátua primeiro. Vejam como é imponente, misteriosa, assim dominando as areias do deserto ao longo de séculos... E fixem para sempre a esfinge do Egipto. Agora, fechem os olhos por um segundo e imaginem a esfinge grega, com asas de águia...

E, após esta introdução para criar ambiente, a professora desligou a máquina, acendeu a luz, e, com a turma inteira presa das suas palavras, contou:

— Na Grécia, a esfinge guardava a cidade de Tebas. Já repararam onde fica Tebas?

— Já.

— Pois bem, cada viajante que ali passava, era interpelado pela esfinge.

— E o que é que a esfinge dizia?

— Espera e ouve. A esfinge punha a cada viajante um enigma para ele resolver. Se o viajante não conseguia desvendar o enigma, a esfinge devorava-o.

— «Stôra»!

— Hã?

— Não sei bem o que é um enigma!

— Um enigma é uma espécie de adivinha.

— Ah!

— E vou dizer-lhes um dos enigmas que os viajantes tinham de desvendar. A ver se vocês conseguem adivinhar a solução, ou se são devorados...

Um sussurro de prazer percorreu a sala.

— Era assim: Qual é o animal que anda de manhã com quatro patas, à tarde com duas patas e à noite com três patas?

— O quê?

— Eu vou repetir...

A professora abriu muito os olhos, franziu as sobrancelhas e inclinou-se ligeiramente para a frente. Parecia divertir-se tanto como eles.

— Qual é o animal que de manhã anda com quatro patas, à tarde com duas e à noite com três?

Olharam uns para os outros, intrigados.

— Ena, tantas patas! — murmurou a Raquel.

O João olhou para a colega e sorriu. Quando todos estavam calados, era certo e sabido que a Raquel falava. Já no outro dia, na reunião com a directora de turma, tinha sido aquele disparate da velha com uma bengala... Era mesmo falar por falar!

— Então? Ninguém adivinha? Parece que a es-

finge podia ter um bom almoço... Devorava-vos a todos!

«TRIMMM...» O som da campainha anunciou «fim de aula».

— Oh!

— Já?

A professora corou de satisfação. Não havia nada mais compensador do que ouvir aquele protesto de indignação quando tocava para sair. Ela costumava até dizer que um professor não se pode considerar completamente professor, antes de ouvir, pelo menos uma vez, os alunos lamentarem que a aula chegue ao fim!

Com um sorriso maroto, bateu palmas e disse:

— Podem sair!

— Então e o enigma?

— Digo a solução para a próxima aula!

Um coro de vozes manifestou-se logo.

— Queremos saber a solução hoje!

— Não saímos daqui se não disser!

— Então, já que tanto insistem...

Respondeu-lhe uma salva de palmas. Mas seguiram-se logo vozes a reclamar:

— Schut! Deixem ouvir.

— Não é difícil, sabem? Ora vejam: o animal que anda primeiro com quatro patas, depois com duas, depois com três, é o Homem!

— O Homem?

— Sim. A meninice é como se fosse a manhã da vida. Assim, «de manhã», o Homem anda com quatro patas, quer dizer, gatinha.

— Ah! É isso!

— Pois é! Muito simples... O Homem depois cresce, anda com duas pernas. E a velhice é a noite da vida. Na velhice, o homem precisa de um apoio para andar, de uma bengala... Anda com três pernas!

— Oh!

— Essa está gira, ó «stôra»!

— Agora, toca a sair, que eu também tenho direito ao recreio.

— «Stôra»!

— Sim?

— Nunca ninguém desvendeu o enigma? Todos os viajantes foram devorados?

— Diz a lenda que o rei Édipo descobriu a resposta. E então a esfinge, furiosa, atirou-se ao mar — concluiu a professora, abrindo a porta.

O João pendurou a mochila só num ombro, como era seu costume, e saiu atrás dos outros. Alguma coisa lhe martelava na cabeça. O enigma. O homem que anda de maneira diferente ao longo da vida. Aquela ideia das três patas. A terceira pata é uma bengala... E, sem saber porquê, o pensamento fugia-lhe para a Raquel. A Raquel e as suas parvoíces...

Dirigiu-se maquinalmente para a sala onde ia ter Inglês. E, sempre absorto, instalou-se no seu lugar. Abriu o caderno, escreveu a data e o número da lição, mas alheado. O enigma... Havia ali qualquer coisa de especial! Virou a cabeça para a Raquel, olhou-a, franzindo os olhos ao de leve. Naquele momento ela sacudia os seus bonitos cabelos loiros, com o seu gesto habitual... De repente, o João percebeu tudo!

Completamente esquecido do lugar onde estava, levantou-se e gritou:

— Desvendei o enigma!

Foi gargalhada geral.

A professora, espantada, voltou-se para ele, esmigalhando um pedacinho de giz entre os dedos.

— Qual é a graça, João? Queres ir para a rua?

Escarlate, o João sentou-se sem saber como

explicar o que tinha acontecido. Um colega ainda disse:

— Ele é de compreensão lenta! Só agora é que percebeu o enigma que a «stôra» explicou na aula anterior...

— Aqui não se fala mais de enigmas ou vai tudo para a rua! Atchim! Atchim! Atchim! Ai, esta alergia ao giz... — queixou-se a professora, puxando o lenço da carteira. — Vamos lá a continuar!

O João, de cabeça baixa, fazia risquinhos na margem do livro de Inglês.

«Tomara que acabe a aula!», pensou. «Tenho de ir ter com os outros, para lhes dizer que já sei quem é que corta a cerca. A Raquel tinha razão, coitada, e ninguém acreditou! Ela viu mesmo a tal velha de bengala... Só que não estava a picar o chão da escola. Estava a tactear o chão, para avançar com mais segurança... Ela viu a velha e nós vimos as pegadas! Aquele buraco redondo, ao pé das pegadas mais pequenas, era a marca da bengala! Como é que não nos lembrámos disso?»

E, coçando a cabeça, lembrou-se de que tinha agora outro enigma para desvendar. Para que é que uma velha coxa cortará a rede da escola? Que raio de enigma!

capítulo 15

Será possível?

— Isto é como um *puzzle* que se encaixa perfeitamente…

O grupo inteiro rodeava o João. Ouviam-no, mas bastante incrédulos. Uma velha de bengala a assaltar a escola? Parecia absurdo.

A Catarina e o Rui estavam com eles e assistiam ao debate em silêncio.

— Acho que uma velha nunca teria força e genica para fazer aqueles buracos, nem com a broca eléctrica mais forte do mundo! — declarou o Chico, peremptório.

— Mas, ó Chico, eu concordo contigo. Na minha opinião, ela cortou a rede, o que não quer dizer que tenha assaltado a escola!

— Mas isso é espantoso! Se por acaso tens razão, há uma quadrilha que se serve de uma velha coxa como cúmplice. Será possível?

— É estranho, mas encaixa. A Raquel viu uma velha de bengala cá dentro da escola, não foi? Nós vimos pegadas pequeninas, acompanhadas de uma marca redonda, que é de certeza a marca da bengala. E mais, há o botão.

— Que é que tem o botão? — perguntou o Pedro, retirando-o do bolso.

— Não se está mesmo a ver? Quem é que poderia usar um botão desses? Só uma velha!

— Lá isso, não deixa dúvidas… É um botão antiquado.

— Vocês não puseram a hipótese de uma coisa não ter nada a ver com a outra? — perguntou a Catarina.

— Também pode ser...

— De facto, nós vimos alguém a cortar a cerca e depois outra pessoa a saltar. Não estavam juntos — disse o Rui.

— Podiam estar combinados ou não!

— Como é que havemos de tirar isto a limpo?

— Não é fácil, mas tenho uma sugestão!

— Diz lá, Luísa!

— Como hoje em dia pouca gente usa bengala, e ainda para mais se é uma velha, não vem com certeza de longe para cortar a rede...

— Vais propor outra vigília? — perguntou a irmã.

— Não! Basta estarmos atentos quando entramos e saímos da escola, ou andamos pelo bairro. Ela mora por aqui e acabamos por dar com ela!

— Somos tantos, que talvez um de nós tenha sorte — disse logo a Catarina, satisfeita por se sentir a fazer parte daquele grupo.

— É... A única coisa que podemos fazer é andarmos de olhos bem abertos — concordou o Chico, um pouco desconsolado. Ele preferia agir, em vez de esperar pelos acontecimentos. Ficar apenas alerta não o satisfazia!

— Então, que conspiração é esta? — perguntou o professor de Educação Física, aproximando-se no seu passo elástico.

Desviaram rapidamente a conversa. Já agora, preferiam descobrir tudo sozinhos.

— Ó «stôr», que fato de treino tão giro! — gabou a Teresa.

— É novo. Foi um presente de anos. Gostam?

— Muito!

— Quantos anos fez? — perguntou a Catarina.

— Trinta e cinco.

— Trinta e cinco? Nunca pensei!

— Porquê? Achas-me muito velho?

As gémeas riram-se e acrescentaram, com ar atrevidote:

— Trinta e cinco anos não é velho, mas é de meia-idade.

— Essa é boa! Agora sou de meia-idade!

— Não se rale, «stôr». É de meia-idade, mas parece novo!

— Como é loiro, não se notam os cabelos brancos!

— Cabelos brancos? Vocês estão doidos! Onde é que eu tenho cabelos brancos? E já agora rugas, não?

— Ah! Ah! Ah!

— Ficou chateado?

— Eu, não! A juventude é um estado de alma! — disse ele, saltitando já, com aquela agilidade tão própria dos desportistas. E de seguida convidou:

— Vamos fazer uma corrida até ao ginásio?

Sem esperar pela resposta, lançou-se pela ladeira em passo acelerado. Foram todos atrás dele a correr. E o Chico passou-lhe à frente, como uma flecha, o que fez elevar imediatamente uma gritaria a incentivá-lo.

— Chi-co! Chi-co!

Durante alguns dias passaram todos os intervalos à procura de vestígios ou pistas que conduzissem à misteriosa velhinha. Mas, quanto mais procuravam mais aquilo lhes parecia idiota. Não encontravam nada e a pouco e pouco iam-se desinteressando do assunto. Aliás, como o Conselho Directivo conseguira um guarda para vigiar a escola à noite, nunca mais tinha acontecido nada digno de nota.

O Pedro guardava no entanto cuidadosamente o botão e o pedaço de tecido aos quadrados, que o assaltante, na precipitação da fuga, deixara preso nos arames. Tinha esperança de que aqueles vestígios lhe permitissem desvendar, um dia, o mistério.

— Parece-me que afinal acabou assim — tinha dito o Chico, encolhendo os ombros. — A velhota, se calhar, morreu.

— Foi pena terem arranjado um guarda tão depressa! Com outra noite de vigilância, talvez conseguíssemos apanhar ao menos o brincalhão.

— Que, no fundo, se virmos bem, não fez nada de grave!

— Era um maníaco das escavações.

— Se calhar, era um maluquinho convencido de que era toupeira...

— Aquela da sala de Trabalhos Oficinais foi a maior...

— Querem saber uma coisa? Tenho saudades do toupeira — suspirou a Catarina. — Dava muita animação à escola!

— Bem, vou andando para casa — disse o Rui. — Tenho de ir almoçar, que logo à tarde temos jogo.

— Eu hoje almoço cá na cantina — respondeu o Chico.

— Então, despacha-te, senão apanhas uma grande bicha.

— Vocês logo estão cá?

— Não temos aula, mas podemos vir ver o jogo. O que é que achas, ó Luísa?

— Acho bem, não temos trabalhos de casa nem nada...

— Então, eu também venho — disse a Catarina.

— Eu fico cá a almoçar, tenho senha.

— Óptimo, João. Assim ficamos todos.

— Até logo! E preparem-se para fazer uma boa claque, hã?

E o Rui afastou-se em direcção a casa. Mal ele sabia que uma surpresa fantástica o esperava no elevador!

Quando entrou, não reparou logo. Mas uma voz roufenha fê-lo voltar a cabeça, no momento em que acabava de fechar a porta.

— Para que andar vais, ó menino?

— 9.º — respondeu ele automaticamente.

Só que, olhando melhor quem o interpelava, ficou sem respiração. A VELHA!

— A... A senhora...

— Que é que foi? — perguntou ela, fitando-o nos olhos.

Era uma velha baixa e gorducha, de cabelo curto, muito branco, preso com duas travessas. Em cima da boca tinha um horroroso sinal com dois pêlos espetados. Trazia a célebre bengala e, no casaco cinzento-escuro, havia três botões iguaizinhos ao que o Pedro guardava religiosamente. O Rui observou-a de alto a baixo e verificou que a última casa estava por apertar: faltava-lhe um botão.

«Raios!» pensou. «Não me digam que esta velha é minha vizinha...»

E tentou encontrar qualquer coisa para dizer.

— A senhora... para que andar vai?

— Também vou para o 9.º

— Para o 9.º?

— Sim! Se calhar, vou para tua casa! — disse ela, com um sorriso de troça. «SCHLANC!» O elevador parou.

O Rui, meio aparvalhado, abriu a porta e deixou-a sair à frente. Tocou à campainha, sem conse-

144

guir afastar os olhos da velha. Seria mesmo ela a pessoa que procuravam? Ou o botão teria caído ao pé da escola por puro acaso?

A mãe do Rui surgiu então na ombreira da porta e sorriu-lhe:

— Olá, Dona Rosa! Que bom ter vindo tão cedo com as tartes!

E pegou imediatamente no pacote que a mulher carregava.

— Entre, entre! Ó Rui, vai buscar a minha carteira para eu pagar à Dona Rosa.

O Rui continuava aparvalhadíssimo. Era frequente falarem à mesa sobre os petiscos de uma tal Dona Rosa, que fornecia comidas por encomenda. Mas nunca a tinha visto. Nem sonhara que pudesse ser ela a pessoa que cortava a cerca da escola.

— Não pode ser! Não pode ser! — murmurou baixinho.

— O que é que tens, ó Rui? — perguntou a mãe. — Correu-te mal o ponto?

— Qual ponto? Não tive ponto nenhum!

— Pareces esquisito!

— Não...

A Dona Rosa tinha já guardado o dinheiro e despedia-se, pronta para sair.

«Se eu dissesse alguma coisa... Se eu dissesse alguma coisa...»

O Rui tentava encontrar uma maneira de a deter, mas não lhe ocorria nada!

— Então, até à próxima!

— Eu depois telefono-lhe — disse a mãe, afável, acompanhando-a ao elevador.

— Dona Rosa! — gritou o Rui, subitamente.

A velha voltou-se.

— Sim?

— A...

— O que foi, Rui?

— Nada, nada... É que gosto muito das suas tartes.

— Ainda bem, meu filho — respondeu ela, acenando.

A mãe pareceu desconfiar de qualquer coisa e perguntou:

— Ó Rui, o que se passa contigo?

— Nada! Tenho muita pressa, porque hoje é tarde desportiva — disse ele, desviando o olhar.

A mãe não insistiu e ele aproveitou para engolir rapidamente o almoço e voltou para a escola, agitadíssimo.

Correu para a cantina, onde, como de costume, a barulheira era infernal. A vozearia ressoava nas paredes de mosaico, e lá dentro um tilintar de loiça e metal servia de música de fundo.

Nas várias mesas rectangulares justapunham-se tabuleiros individuais com pratos e talheres na maior desordem. O cheiro intenso a comida quente e a tangerina envolvia tudo.

Alguns estavam já a acabar a refeição, enquanto outros aguardavam vez, formando bicha com os tabuleiros ainda vazios.

O Rui circunvagou o olhar pelas mesas, à procura dos amigos. Mas como não os viu logo, deu um berro:

— Chico!

Por entre os tachos e panelas, a cozinheira refilou:

— Não façam tanto barulho! Não é preciso gritar!

O Rui não ligou nenhuma e repetiu:

— Chico!

Uma bola de miolo de pão acertou-lhe em cheio no nariz.

— Estou aqui, pá!

O Chico e o João acenavam-lhe do fundo da sala, agitando cascas de tangerina.

O Rui dirigiu-se imediatamente para lá, derrubando na passagem uma tigela de sopa.

— Parvo! E agora?

— Agora, limpa tudo! — disse uma empregada, com maus modos e visivelmente exausta. Aquela hora era sempre uma estafa!

O Rui não discutiu. Pegou num pano, limpou tudo à matroca. Depois, fez sinal aos outros para que o seguissem. Era melhor falarem no pátio.

— Descobri a velha da bengala!

— O quê?

— Palavra!

— Conta, conta lá!

— Ouçam só isto...

capítulo 16

A velha de bengala

Afinal, as gémeas não assistiram ao jogo. O relato do encontro com a Dona Rosa obrigara-as a ir procurar a morada, para poderem contactá-la.

A primeira ideia que lhes surgiu foi telefonarem à mãe do Rui, para pedir a morada, fingindo quererem encomendar tartes. Para serem mais convincentes, puseram um lenço no bocal, para a voz sair mais forte. E, perdidas de riso, anunciaram-se como «a mãe das gémeas». Mas a senhora não tinha a morada, costumava fazer as encomendas pelo telefone. Deu-lhes o número e desta vez foi a Catarina quem lembrou falarem para as informações... Assim, quando acabou o jogo, as três raparigas esperavam os amigos com todas as indicações escritas num papel.

— Está aqui. Mora pertíssimo, já fomos ver. É aquele prédio quase colado à cerca.

— E agora? Vamos lá?

— Que é que vamos dizer?

— Com certeza não querem ir lá perguntar se ela faz parte de uma quadrilha, pois não?

— Ó Chico, que estupidez!

— Já sei — disse o Pedro. — Temos um excelente pretexto.

— Qual?

— O botão. Vamos lá devolver-lhe o botão!

— O melhor é ser eu. Como ela me viu hoje

150

mesmo, quando foi levar as tartes a minha casa, reconhece-me e não nos fecha a porta na cara.

— Boa! Então, vamos já.

— Todos?

— Eu, cá por mim, tenham paciência, mas quero ir.

— Eu também!

— Eu também!

— Então olha, vamos! Logo se vê se nos deixa entrar ou não.

— Vamos por fora ou pulamos a cerca? — perguntou a Catarina, que era toda arrapazada.

— O melhor é irmos de volta.

Excitadíssimos, percorreram apressadamente o caminho e só hesitaram mesmo junto do prédio. Foi o Rui quem tocou à porta. «Miau... Rinhau...», ouviu-se lá de dentro.

— Uma velha que tinha um gato — cantarolou o João, baixinho.

— Schut! Cala-te!

A porta abriu-se e a Dona Rosa apareceu na frente deles com um avental aos quadrados pretos e brancos. Um gato de pêlo acinzentado avançou muito lânguido e roçou-se nas pernas da Luísa.

— Faz favor... Ah! És tu, menino! O que é que queres? Vens assim para aqui com os teus amigos todos da escola?

O Rui tossicou embaraçado e disse:

— Viemos devolver-lhe uma coisa que a senhora perdeu.

— Ah, sim? E o que é que eu perdi?

— Isto — disse o Pedro, estendendo-lhe o botão.

A velha fitou-os, desconfiada. E eles olharam-na também fixamente, à procura de qualquer expressão duvidosa.

— Sabe onde perdeu este botão? — perguntou a Teresa.

— Sei! Ou melhor, desconfio que sei!

E, para grande espanto de todos, a velha, em vez de se intimidar, sorriu como se tivesse feito apelo a uma grande coragem. E abriu a porta toda para trás.

— Parece-me que o melhor é entrarem.

Foi a vez de eles ficarem um pouco receosos. E só entraram porque eram muitos. Aquela velhinha, aparentemente inofensiva, tornara-se de novo suspeita com o seu ar melífluo. Pela cabeça de todos perpassou muito rápida a história da *Casinha de Chocolate*. Seria uma bruxa dos tempos modernos?

A entrada era minúscula, com uma esteira redonda e a mesa do telefone. A porta em frente dava para a cozinha, imaculadamente branca e brilhante de tanta limpeza. Do forno saía um cheirinho agradável a bolos.

A mulher encostou-se a uma grande mesa de mármore, que ocupava quase toda aquela divisão, e perguntou, afoita:

— Vamos lá a ver o que é que sabem a respeito do meu botão...

O Pedro achou que a única saída era dizer a verdade.

— Encontrámos o seu botão junto à cerca da escola. Acontece que foi exactamente no sítio onde essa cerca tem sido cortada. Eu e os meus colegas medimos as pegadas que ficaram na lama...

Instintivamente, olharam todos para debaixo da mesa. A velha tinha uns pés pequeninos, metidos em pantufas de veludo preto.

— E o que é que descobriram? — perguntou ela num tom que a todos pareceu de desafio.

— Descobrimos que junto às pegadas havia a marca de uma bengala.

152

— Da sua bengala — disse a Luísa, apontando para o canto onde esta se encontrava.

— E depois? O que é que querem de mim?

Os olhos da velha pareciam dois carvões, reluzentes de fúria. Estava ligeiramente afogueada, o que lhes fez impressão. Nunca tinham visto uma velha corar!

A Teresa avançou um pouco e indagou, franzindo o sobrolho:

— Foi a senhora quem cortou a cerca, não foi?

— Fui.

Fez-se um silêncio embaraçoso. Nenhum deles sabia o que havia de perguntar a seguir! Mas não foi preciso perguntar nada. A velha, com uma energia incrível, desatou a explicar, quase atropelando as palavras:

— Cortei a cerca várias vezes e hei-de voltar a cortar logo que puder!

— Como? — balbuciou a Catarina.

— Eu sou uma velha sozinha, fraca, coxa. E tenho de trabalhar muito. Faço comida para fora e sou eu que a vou entregar, porque não tenho ninguém que o faça para mim. Se deixar de trabalhar, fico na miséria, perceberam? — perguntou ela, crispando as mãos na borda da mesa.

Entre aterrados e envergonhados, permaneceram sem nada dizer.

— Fazer um pequeno trajecto cansa-me muito! E a vossa escola é enorme. Dar a volta por fora, já não é para as minhas pernas, entenderam?

— Corta a cerca para atravessar a escola por dentro? — perguntou o Rui, pasmado.

— Isso mesmo!

E, como se lhe subisse do peito uma espécie de raiva, acrescentou com veemência:

— Isso mesmo! Cortei e hei-de cortar outra vez.

154

É só mandarem o guarda embora. E se isso é um prejuízo para alguém, não quero saber... Eu não posso preocupar-me com os outros, porque ninguém se preocupa comigo!

— Mas atravessa por dentro da escola à noite? Não tem medo dos cães?

— Quais cães, qual carapuça! Eu, minha menina, passo por dentro da escola de dia! Corto a cerca ao cair da noite, para trabalhar mais à vontade. E de dia, se tenho de levar encomendas ali para cima, espero que não esteja ninguém nos pátios, entro por ali, e saio do outro lado pelo portão. Perceberam bem? E agora? Querem mandar-me prender? Se quiserem, mandem! É da maneira que posso descansar!

As gémeas, extasiadas com o que ouviam, gaguejaram:

— N...ão! De...maneira nenhuma!

— Então? O que é que vão fazer? Vão fazer queixa de mim?

Houve uns segundos de pausa. Mas o Pedro decidiu por todos.

— Fique descansada, Dona Rosa. Nós só queríamos saber a verdade. Não tencionamos contar nada a ninguém.

A velha deitou-lhe um olhar agradecido.

— Era só isso que queriam de mim?

— Não.

— Então?

O Pedro aproximou-se, com uma expressão solene.

— Dona Rosa, no dia em que foi cortar a cerca pela última vez, assaltaram a escola. Queríamos saber se viu ou ouviu alguma coisa.

— Assaltaram a escola? Ó diabo!

A velha relaxou os músculos, e sentou-se, parecendo ficar de repente muito cansada.

155

— Assaltaram a escola? Não me digam que ainda vão pensar que fui eu...

— Não! Que ideia! — protestaram todos em coro.

A velha riu-se. Mas era um sorriso triste.

— Claro que não! Não podiam pensar uma coisa dessas. Estou tão velha, que já não tenho forças para nada, quanto mais para fazer assaltos! Tomara eu que não me assaltem a mim.

— E não viu nada?

— Não. Acreditem que, se tivesse visto, vos dizia.

— Então, obrigada...

— Esperem! — pediu ela, assim que os viu recuar para a porta.

— Hum?

— Esperem aí. Há muito tempo que eu não tinha visitas. Vivo para aqui sozinha com o meu gato... Tanta cara bonita, de gente nova, na minha cozinha é para festejar!

E, do armário da esquerda, retirou várias latas que abriu e lhes ofereceu. Estavam cheias de biscoitos deliciosos de manteiga, de laranja, de limão, de coco.

A Luísa, já com a água a crescer na boca, ainda perguntou:

— Mas esses biscoitos não são para encomendas?

— São. Eu forneço aos quilos para uma pastelaria. Tenho muito gosto que comam o que quiserem. Depois, faço a quantidade que for preciso.

Não resistiram mais e empanturraram-se. O Pedro lembrou-se da mãe a explicar: «Quando uma pessoa tem muito prazer em nos dar uma coisa, devemos aceitar»... Ainda bem que era assim! Os biscoitos estavam uma delícia.

A despedida foi o mais calorosa possível. De certo modo, tinham ficado amigos.

— Eh, pá! Que raio de coragem que tem esta mulher, hã? — disse o Pedro, com admiração.

— Coitada, assim sozinha e a ter de trabalhar tanto!

— Deve ser muito triste não ter filhos nem netos!

— Tem graça, ao princípio achei-a tão velha e tão feia, que até me pareceu uma bruxa!

— Também a mim!

— Razão tem o meu pai — disse a Catarina, muito pensativa. — Está sempre a dizer que só conhecemos as pessoas depois de falar um pouco com elas, de saber um pouco dos seus problemas... Disse-me tantas vezes: «Experimenta, Catarina, quando não gostares nada de alguém, experimenta conversar um pouco com essa pessoa, ouvi-la, vais ver que quase sempre mudas de opinião...»

— É isso mesmo! Muda-se de opinião e até de atitude. Eu era capaz até de fazer troça daquela velhota, e agora que a conheço, estou cheio de pena dela!

— Eu cá sou incapaz de fazer troça de velhos — disse o João, lembrando-se da avó, a quem adorava.

— Mas estava disposto a denunciar a mulher que cortou a cerca. Agora, nem pensar! Não digo nada!

— Nem eu! Quem quiser que descubra!

— Sabem uma coisa? — perguntou o Rui, entusiasmado com uma ideia que lhe acudiu ao espírito. — Quando a minha mãe voltar a encomendar tartes, venho eu buscá-las, se for possível! É uma maneira de a ajudar.

— Fazes bem, pá!

— Bem, este enigma está resolvido! — suspirou a Luísa. — Agora, temos de desvendar o outro.

— Como?

— Sei lá!

— Sei eu! Lembrem-se que temos um bocadinho de tecido... E sabemos que o assaltante correu a esconder-se no bairro velho. É natural que viva lá.

— Então, temos de ir ao bairro velho.

— Mas atenção, para irmos ao bairro velho, há que fazer um plano capaz...

— Vão pensando nisso, está bem?

— Está.

— Não sei porquê, palpita-me que vai surgir uma oportunidade excelente!

capítulo 17

Uma visita
de estudo
acidentada

— Rui! Imagina onde é a visita de estudo!

— Onde?

— A visita de estudo é ao bairro velho! Vamos ao bairro velho! E com imensos professores...

O Pedro e o Chico saltavam e pulavam, loucos de alegria.

— Uau! Que sorte!

— Eu tive uma ideia — disse o Chico, com os olhos brilhantes. — Vamos levar o *Faial*.

— E os professores, deixam?

— Oh! Claro que não! Mas a gente não previne. Pedimos ao João que o traga, e ele vem atrás de nós, é limpinho!

— A rua é livre. Ninguém pode impedir um cão de andar na rua.

— Está bem, já percebi o esquema. Mas afinal, qual é a ideia? O cão é para quê?

— Não consegues adivinhar?

— Não. Diz lá.

— Snif! Snif, snif! O cheiro... O faro!

— Ah! Já topei! Excelente!

— Antes de entrarmos no bairro velho, damos--lhe o trapo a cheirar. Pode ser que o *Faial* sinta o mesmo cheiro em qualquer parte do bairro e dê sinal.

— Achas que é possível?

— O bairro é pequeno.

— E ele tem o faro apuradíssimo.

— De qualquer maneira, não temos nada a perder. É uma tentativa.

— Eh, pá! Estou morto por que chegue o dia de amanhã.

— E eu!

O dia da visita amanheceu lindo! Estava fresco, mas luminoso e brilhante, um belíssimo dia de Outono.

A saída parecia agradar a todos, alunos e professores, porque ia mais do que um.

O trabalho que se pretendia fazer era interdisciplinar, por isso levavam fichas de trabalho e listas de aspectos a observar, que seriam depois aprofundados nas aulas de Educação Visual, Português e até Educação Física.

O professor tinha-lhes falado na importância da orientação física, no espaço. Uma pessoa deve saber onde se encontra, ter referências... E distribuíra uma planta daquela zona da cidade, onde, pelo caminho, deviam assinalar os percursos que seguiam.

A turma, em geral, estava bastante entusiasmada. Mas o Pedro, o Chico e o Rui só pensavam numa coisa: a pista do assaltante!

Era pena que o João, as gémeas e até a Catarina não pudessem ir também. Ao menos que o *Faial* estivesse a postos!

— Olha lá, Pedro, o João não se terá esquecido do combinado? — perguntou o Rui, inquieto.

— Fica descansado. Tenho a certeza de que está lá fora à nossa espera. Ele nunca falhou quando nos metemos em aventuras.

O Pedro tinha razão. Quando dobraram a primeira curva... «ÃO!ÃO!ÃO!»

O *Faial* saltou detrás de umas moitas e correu para eles, ladrando animadamente.

— Ai! — gritou uma colega, assustada.

— Não tenhas medo, que ele não faz mal! — disse o Chico, segurando-o pela coleira.

— Conheces esse cão?

— Conheço-o de ginjeira!

O Pedro e o Rui tinham-se deixado ficar para trás, à espera. Onde estaria o João? Mas não tiveram de esperar muito. Entre as moitas de um jardim, surgiu a sua cabecita pequena e viva.

— Tudo em ordem?

— Tudo operacional!

— Então, até logo! Boa sorte!

O João acenou-lhes e deu uma corrida de regresso à escola.

— Vocês não traçam o percurso na planta? — perguntou um colega.

— Traçamos... Traçamos...

O Pedro vasculhou nos bolsos, sem encontrar nem a planta, nem a caneta, nem as fichas de trabalho.

— Bolas! Esqueci-me de tudo! — exclamou.

— De tudo? — perguntaram logo o Rui e o Chico.

O Pedro sorriu daquele susto.

— De tudo, tudo, não!

E, disfarçadamente, mostrou-lhes a farripa de tecido aos quadrados...

— Para que é isso que tens aí? — indagou outro colega, estranhando.

— Nada! Isto não é nada!

A farripa desapareceu rapidamente no bolso e o Pedro estugou o passo, afastando-se o mais possível dos indesejáveis curiosos.

Os três professores iam no meio deles, a ajudar os que precisavam de indicações para traçarem o caminho seguido.

— Então, isto não tem dificuldade nenhuma, repara nos pontos de referência...

— Lá está o bairro velho! — anunciou a professora de Português. — Adoro este bairro velho!

O Pedro e o Rui olharam em frente, com uma sensação difícil de explicar. Lá estava a azinhaga, ladeada de muros em ruínas e prédios degradados. Mas assim, à luz do Sol, num dia luminoso de Outono, parecia apenas a entrada de uma aldeia adormecida, que ficara ali por esquecimento, enquanto prédios, prédios e mais prédios lhe invadiam os campos em redor.

— É preciso saber ver! — declarou a professora de Educação Visual, subindo para um marco de pedra e fazendo-lhes sinal para que se aproximassem.

Os poucos transeuntes nem olharam duas vezes. Vivendo perto da escola, não era novidade aquele grupo de rapazes e raparigas à volta de um professor.

O *Faial* sentou-se nas patas traseiras, de língua de fora. O Pedro e o Chico dispuseram-se a ouvir a explicação, sem no entanto se afastarem muito, não fosse o cão ter ideias tristes.

— Olhem primeiro para trás e observem o que é um bairro moderno, feito na segunda metade do século XX.

Todos voltaram a cabeça na mesma direcção. A imagem das ruas largas, em que se erguiam enormes blocos rectangulares com superfícies de vidro, era-lhes tão familiar que não despertava qualquer interesse ou sensação nova.

— Pois bem, não tem novidade, pois não? — perguntou a professora, adivinhando o que pensavam.

O Pedro suspirou, impaciente. Mas a voz da professora prosseguiu:

— Comparem agora a organização deste bairro moderno, onde vivem, com o traçado do bairro velho onde vamos entrar... É importante repararem que no bairro novo as ruas são tão largas, tão abertas e indefinidas, devido à posição dos prédios: uns paralelos à rua, outros perpendiculares e outros até oblíquos. Ora reparem ali, hã?

O Pedro verificou que a professora tinha razão. Engraçado, nunca tinha pensado nisso!

— Neste bairro moderno quase não faz sentido dizer «a minha rua», porque, por exemplo, quem mora naquele bloco de esguelha tem a porta a dar para o jardim lateral, janelas viradas para a rua de trás, embora provavelmente a morada seja a da rua da frente!

— É mesmo, «stôra» — disse uma rapariga, entusiasmada. — Eu moro ali.

Viraram-se todos para ela.

— Tenho uma tia que se perde sempre que nos vem visitar. Diz que não percebe este bairro, que é um autêntico labirinto. Sendo tudo muito diferente, parece-lhe tudo igual!

— Sabes qual é o problema? — explicou a professora. — É que, com este traçado urbanístico, as pessoas não conseguem encontrar o caminho olhando para as ruas, porque o traçado é sempre diferente. Então olham para os prédios... e também não conseguem orientar-se, porque são quase todos iguais!

Foi gargalhada geral.

— Isto é que é «aprender a ver»! Vivo aqui há quatro anos e nunca tinha pensado em nada disto! Quando venho a visitas de estudo, farto-me de aprender coisas giras — disse o professor de Educação Física, com um sorriso rasgado.

— Agora, o caso do bairro velho é precisamente

o oposto. As ruas são pequenas, estreitinhas e organizadas à volta de uma igreja, que é a construção mais alta, e de um largo que funcionava como se fosse o «coração» da antiga aldeia. Era o local de encontro da vizinhança, que a toda a hora passava por ali! Além disso, as casas são todas de frente para a rua a que pertencem. É possível uma pessoa sentir-se envolvida pelo lugar.

— Como? Envolvida pelo lugar? Não percebo...

— É fácil, se vires bem. Quem vive numa certa rua, vive mesmo nessa rua. Sente que pertence ali. E ainda mais: pode caminhar à sombra das casas da sua rua! É como se as pessoas se movimentassem envolvidas, abraçadas pelo próprio bairro.

Olharam uns para os outros e riram.

— Está giro!

— Tem piada!

— Estou a perceber... Nos bairros modernos, sombra só se for debaixo das colunas dos prédios, onde a certas horas as pessoas até têm medo de andar. É como se se andasse esmagado pelo próprio bairro! — acrescentou o professor de Educação Física.

— Tens razão. E hoje em dia os arquitectos têm pensado bastante nestes problemas. Problemas humanos. Ora pensem bem, nos bairros antigos como este, o espaço exterior é aconchegadinho mas, por dentro, as casas, mesmo as mais pobres, têm quatro ou cinco divisões.

— Eh! Agora há apartamentos caríssimos, só com duas divisões!

— Ou até só com uma!

— E em prédios monstros de grandes!

— Pois é isso mesmo. Actualmente, o espaço ficou cá fora. Casas minúsculas, mas prédios e ruas enormes!

— É como viver em pequenas gaiolas, num grande jardim!

— Bom, sobre este assunto ainda havia muita coisa para dizer! Mas fica para outra vez. Agora vamos iniciar o passeio no bairro velho...

O Chico e o Rui olharam o Pedro intencionalmente. Este tirou o pano do bolso e deu-o a cheirar ao *Faial*. Pelo sim pelo não, repetiu baixinho:

— Se sentires este cheiro, ladra, sim?

— Busca, *Faial*! Busca! — disse o Chico, lembrando-se de um filme que tinha visto há tempos.

O grupo embrenhou-se nos restos da velha aldeia. E que diferente era tudo ali!

Pasmados, olhavam os curiosos prédios de dois andares, alguns forrados de azulejos, outros todos brancos mas com esfoladelas na caliça, que lhes dava uma feição especial, a dignidade de ter sobrevivido durante muito tempo.

Por todo o lado, quintais com muros grossos e arredondados, manchados de musgo viçoso, e cujas rachadelas serviam de abrigo a pequenas lagartixas, ou de apoio a vasos com sardinheiras. E os estendais de roupa branca, onde vários lençóis enfunavam com o vento, tomando formas arredondadas, como velas de moinhos, ou de barcos prontos a zarpar...

Todos olhavam em redor com agrado. Mas, para o Pedro e para o Rui, aquilo tinha um significado mais profundo.

— É incrível, hã, Pedro?

— É fantástico! Só hoje é que percebi bem até que ponto aquilo que sentimos influencia a maneira como vemos o que nos rodeia!

— É, pá! Naquela noite isto parecia aterrador. Lembras-te de que só falávamos em bruxas?

— Bruxas e fantasmas, porque estávamos à rasca com medo!

— E hoje, parece-nos a aldeia mais simpática e inofensiva!

— Gira, até! Uma vez construí uma aldeia de lego...

«Ão! Ão!Ão»

O *Faial* largou a correr, agitadíssimo, por uma rua lateral.

Iludindo a vigilância dos professores, o Chico, o Pedro e o Rui foram atrás dele, com o coração aos pulos. Iriam dar de caras com o assaltante? Parecia bom de mais! E seria só um? Mas, para seu grande espanto, o *Faial* deteve-se à porta da pequena barbearia e ficou ali, hirto, a rosnar baixinho.

Perplexos, olharam lá para dentro, mantendo uma certa distância. O Rui ainda duvidou.

— Achas que ele tem mesmo um faro muito apurado?

— Hum...

— Olha, Pedro! Olha!

O Chico, de olhos esbugalhados, apontava o interior da barbearia.

Na parede, um espelho enorme reflectia os casacos pendurados no cabide. Um deles era de fazenda aos quadrados!

— Não há dúvida. O *Faial* descobriu o homem.

— E qual deles é?

O Pedro abriu os braços e inclinou a cabeça para o lado, com um sorriso.

— Nada mais fácil! É só esperarmos aqui, e ver quem sai com aquele casaco!

capítulo 18

Um desfecho inesperado

— Nunca pensei, palavra de honra! — concluiu o Pedro, ainda meio abismado.

— Eu também! Nem tal coisa me passava pela cabeça — respondeu a Luísa.

Tinham-se reunido todos em casa do João, conforme o combinado: assim que regressassem, os três rapazes iam lá devolver o *Faial*, e dar notícias, se as houvesse. O que contaram, deixou todos de boca aberta.

— Pois é, foi assim.

— Ó Pedro, repete lá tudo, que eu ainda não acredito bem!

O Pedro recomeçou a história, cheio de paciência.

— O *Faial* detectou a presença do assaltante na barbearia. Era um homem muito diferente do que estávamos à espera: moreno, baixo, aí já com os seus cinquenta anos. Quando se viu rodeado por nós e pelo cão, e percebeu que éramos da escola, encolheu os ombros, conformado, e disse apenas: «Já descobriram tudo? Paciência, assim como assim, não encontrei nada. Já desisti. Nunca tive sorte, nem hei-de ter. Trabalho, trabalho e não me serve de nada.»

— Depois, eu insisti para que ele nos contasse o motivo por que fazia buracos na escola — interrompeu o Rui.

170

— E ele levou-nos para um banco de jardim, num sítio retirado. O que contou, foi o que o Pedro já disse — acrescentou o Chico.

— Mas diz lá outra vez... Ele tinha mesmo as tais libras?

— Não, ora vê se entendes: ele emigrou quando era ainda muito novo. Trabalhou muito e ganhou bastante dinheiro. Mandava grandes quantias ao pai, para ele viver e também para depositar no banco, pois queria fazer uma casa quando regressasse a Portugal.

— E o pai não lhe depositou nada no banco?

— Pois não. Era daqueles velhotes que não confiavam nos bancos e queria ter o dinheiro ao pé dele. Então, sem prevenir o filho do que ia fazer, comprou uma data de libras de ouro...

— Porquê?

— Porque as notas podiam arder, ou perder o valor. Agora libras de ouro não corriam esses perigos. E, para maior segurança, resolveu enterrá-las.

— Que ideia mais tola!

— Claro! Mas que é que queres, era um velho pobre, que nunca se tinha visto com tanto dinheiro. Receava ser roubado. Enterrou tudo por baixo de uma casota onde guardava ferramentas para cuidar da sua horta... E a horta era precisamente no sítio onde alguns anos depois foi construída a nossa escola.

— A escola é assim tão recente?

— É! Eu também não sabia, mas foi construída só há oito anos.

— Mas ele nunca disse nada ao filho?

— Não. E como morreu de repente, com um ataque de coração, o filho tinha perdido de vez o rasto das libras, se ele não se tivesse lembrado de fazer uma espécie de mapa do tesouro. E deixou uma carta ao filho a explicar tudo. Esses papéis estiveram guardados na casa onde ele morava, até este ano. Quando o homem regressou definitivamente a Portugal e foi remexer nas coisas do pai...

— Deve ter ficado desesperado!

— Pois ficou.

— E por que é que não foi lá à escola explicar tudo?

— Teve medo de que não acreditassem. Era uma história tão incrível! Resolveu então escavar de noite, para tentar encontrar o saco das libras.

— Mas como o terreno está muito diferente, por causa das construções, assaltou primeiro a secretaria, para roubar as plantas da escola e poder comparar com o mapa que o pai lhe deixou. Talvez encontrasse referências comuns, desníveis ou assim.

— Só que, como não faz ideia de como se orienta uma planta, foi escavando conforme lhe parecia.

— No fim de contas, foi escavando ao calhas!

— Pois foi. Além disso, ainda pôs a hipótese de as libras terem aparecido quando a escola estava a ser construída, ou terem ido parar ao fundo dos alicerces... E então, adeus! São irrecuperáveis. Mas, de qualquer forma, quis tentar a sorte.

— Coitado do homem! Deve ser uma tristeza!

— Alto aí! Ainda não está tudo perdido — disse o Pedro. — Eu prometi que o íamos ajudar.

— Nós? Como?

— Muito facilmente. Estive a observar o mapa que o pai lhe deixou e a planta da escola. Concluí que o sítio provável é precisamente o lugar onde os do 1.º ano andam a fazer uma horta experimental... Sabem onde é?

— Claro que sabemos. É naquela zona mais plana, entre os pavilhões do centro.

— E o que é que vamos fazer?

— Durante o dia não podemos fazer nada. Mas planeei irmos para lá ao anoitecer. A essa hora não há movimento nas ruas, e é fácil escaparmos de casa com uma desculpa plausível.

— Mas a essa hora está lá o guarda.

— Está. Mas o guarda é só um e nós somos muitos. Vamos despistá-lo, enquanto o homem e o Chico cavam. Não custa tentar. Alinham?

— Claro que alinhamos. Quando é isso? — disse a Luísa, saltitando de entusiasmo.

— Quanto mais depressa melhor. O homem está à espera de resposta. Quando é que querem actuar?

— Amanhã! — responderam todos em coro.

O Pedro, com os olhos brilhantes e um certo nervosismo, perguntou pela sétima vez:

— Perceberam bem o que têm de fazer?

— Percebemos, Pedro. Que chato! Estás armado em coordenador!

— Alguém tem de coordenar. Lembrem-se de que, se encontrarmos as libras mas o homem for apanhado, pode ser o fim! Naturalmente ninguém acreditava naquela história e tomavam-no por um ladrão. Vou repetir tudo!

— NÃO! — berraram as gémeas, tapando os ouvidos com as mãos.

A Catarina, atrevida, interferiu:

— Queres ver como estamos perfeitamente dentro do papel? O Chico e o João vão ajudar o homem a cavar e ao mesmo tempo sossegam os cães, se estiverem soltos. Eu e as gémeas vamos dar guinchos e fingir que estamos a ser assaltadas por um bandido horrível...

— Que sou eu — disse o Rui.

— E tu, Pedro, vais chamar o guarda da escola

e obrigá-lo a vir socorrer-nos à rua, para deixar o campo livre...

— Pronto, é isso mesmo. Vamos?

Um arrepio de excitação percorreu-lhes a espinha. Que maluqueira tão divertida! O Chico e o João desapareceram, direitos ao local de encontro combinado com o homem.

O Pedro plantou-se junto à cerca, mais ou menos na direcção do sítio onde avistou o guarda. Se conseguisse entabular conversa com ele antes de as gémeas gritarem, melhor ainda.

As gémeas, a Catarina e o Rui desapareceram por trás das colunas de um prédio fronteiro. Todos controlavam o tempo pelos relógios, acabados de acertar. Era necessário desencadear a operação na hora exacta!

O guarda avançou, pachorrento, na sua ronda habitual. O Pedro já tinha pensado o que lhe havia de dizer, se surgisse uma oportunidade.

— Faz favor, senhor guarda! Chegue aqui, por favor!

O guarda, que passava longas noites solitárias, a vaguear, sem que nunca tivesse acontecido nada, aproximou-se com agrado. Era um miúdo que o chamava, portanto não representava problemas. E sempre era alguém para conversar um pouco!

— Que é que queres, pá?

— Olhe, chegue aqui! Queria pedir-lhe um favor.

O guarda aproximou-se mais.

— O que é que há?

— Sabe, perdi a minha caneta nova hoje à tarde na escola. Queria ver se podia entrar e procurá-la, senão o meu pai fica furioso.

— Mas és daqui? — perguntou o guarda.

O Pedro calculara a pergunta e vinha prevenido.

— Sou, sou. Tenho aqui o cartão da escola.

— E por que é que não procuras amanhã?

— Amanhã de manhã está aí muita gente. Se alguém a encontra primeiro, fico sem ela. Não tem marca nenhuma! Mesmo que eu soubesse quem a tinha, não podia provar que me pertence...

— Mas onde é que a perdeste?

— Aqui para baixo, quer ver? — disse o Pedro, começando a avançar pela parte de fora da cerca. — Deixei a pasta ao pé de um arbusto e deve ter caído.

O guarda acompanhou-o pelo lado de dentro.

De repente, começaram a ouvir-se uns gritos estridentes:

— Ai! Ai! Ai!

— Quem me acode? Estão a assaltar-me...

O Pedro reprimiu a custo um sorriso. Aquilo parecia-lhe agora bastante ridículo! Via-se mesmo que era aldrabice, pensou.

Mas o guarda levantou a cabeça e fitou um ponto no escuro.

— Ó diabo! E eu que não posso sair daqui!

Os guinchos eram cada vez mais agudos e tolos. As três miúdas pareciam um bando de gralhas... E uma voz, que pretendia fazer-se mais grossa do que era, vociferava por trás:

— Pára, miúda! Pára ou dou cabo de ti!

«Que idiotas! Que exagerados», pensava o Pedro.

Mas o guarda, que não sabia da combinação, parecia hesitar, agarrado à rede.

— Venha comigo — pediu o Pedro. — Estão a assaltar uma miúda!

— Uma? Parece mais que uma! Mas eu não posso sair daqui! Pode ser um ardil para me afastarem.

— Saia! Saia, por favor — o Pedro resolvera mostrar-se muito assustado. — Não é um ardil... E não podemos abandonar uma criança aflita... Não está ninguém a assaltar a escola...

176

— Ui! Ai! Deixe-me…

— Vou morrer! Não me mate!

«A parva da Luísa ainda estraga tudo, parece um bezerro desmamado», pensou o Pedro, inquieto.

— Vai, rapaz. Vai espreitar o que é, eu saio já pelo portão e vou contigo — decidiu o guarda, correndo pela ladeira.

O Pedro suspirou de alívio. Tinha engolido a peta! Com certeza nem lhe passava pela cabeça que ele estivesse envolvido, e naturalmente, nas suas funções de guarda, já tinha ouvido gritos ainda mais exagerados do que aqueles!

Conforme estava combinado, teve um súbito ataque de tosse, que significava «pirem-se, corram em círculos para a captura demorar mais tempo».

Ele e o guarda perseguiram juntos os estranhos ruídos que se deslocavam na escuridão, para um lado e para o outro. O guarda corria, já esfalfado e perplexo.

— Que coisa! Isto naturalmente é brincadeira… Acho que vou desistir — disse ele, falando quase sem fôlego.

— NÃO DESISTA! NÃO DESISTA! — gritou o Pedro, muito alto, esperando que eles percebessem que era melhor deixarem-se apanhar.

— Que é que tens, pá? Agora gritas tu?

— Senhor guarda, não desista! — berrou ainda uma vez.

Um som, muito parecido com o grunhido de um porco, ouviu-se atrás de uns arbustos.

O guarda deu dois saltos e agarrou com força uma das gémeas.

Os outros emergiram logo. E o Rui, para ser mais convincente, apareceu arrastando a outra gémea pelos cabelos.

O guarda olhou-os, colhido de surpresa.

— Outra igual? Mas o que é isto?

— Ele estava a meter-nos medo! — choramingou a Catarina, tapando a cara com as mãos, para ocultar a vontade de rir.

' O Pedro, muito sério, voltou-se para o Rui.

— Larga já a miúda ou arrependes-te!

— E quem és tu para me dares ordens? — perguntou o Rui, empertigando-se. — Fica sabendo que esta miúda é minha irmã.

Um gorgolejo chamou a atenção do guarda para o lado das gémeas, que fungavam:

— Vocês são irmãs dele? — perguntou, desconfiado.

— Não — disse a Teresa.

— Sim — disse a Luísa. — Quer dizer, não...

— Mau, mau... São ou não são irmãs deste malandrim?

— E o que é que você tem com isso? — perguntou o Rui, tentanto fazer trejeitos de rufia.

O Pedro atirou-se a ele, aos murros, mas com muito cuidado para não o magoar.

«Como será que fazem isto nos filmes?», pensava.

— Eh, pá, estás-me a aleijar... — disse ele, baixinho, debatendo-se.

— Parem com isso ou dou uma sova nos dois! — gritou o guarda.

Naquele momento, duas figuras surgiram à esquina. O Chico, com as mãos cobertas de terra, e o João, com uma cara radiante e um sorrido de orelha a orelha.

Para grande espanto do guarda, a cena modificou-se imediatamente. O Rui e o Pedro soltaram-se e as meninas acorreram, satisfeitíssimas.

— Vamos lá a ver, afinal... — ia a começar o guarda.

A Teresa percebeu que se tinham precipitado e

que corriam o risco de ele perceber a fita. Teve então uma ideia, e foi a vez de o Chico ficar pasmado, quando ela se lhe agarrou ao pescoço.

— Mano! Ainda bem que chegaste! Mano, leva--nos para casa!

— HÃ?

O Chico olhava para todos, embaraçadíssimo. Aquilo não estava combinado e ele não sabia o que havia de fazer!

O Pedro tentou reassumir o controlo dos acontecimentos. Pigarreou e disse:

— Ainda bem que chegaram, porque aqui o Rui resolveu assustar as raparigas e merece uma ensinadela!

— O Rui? Ah! É o Rui... — disse o guarda, furioso. — Pelos vistos vocês conhecem-se todos e querem comer-me por parvo!

— Conhecemo-nos nada! Ele é que gosta de se armar! Eu não me chamo Rui! — disse o Rui, fazendo trejeitos de malcriado.

Os outros viraram-se, aflitos, para não desatarem à gargalhada.

— Não sou Rui, não estou para vos aturar e vou pôr-me na alheta!

Com passos largos e decididos, afastou-se dali.

— Bom, bom, o melhor é mesmo irmos todos embora, não? — disse o guarda, meio chateado. — Acho que já basta de brincadeira...

Não foi preciso repetir duas vezes!

O Pedro ainda balbuciou:

— Obrigadinha, hã?

E desapareceram todos num instante.

O Rui esperava-os, escondido na entrada de um prédio.

— Então? Resultou? — perguntaram várias vozes, assim que se viram longe.

— Em cheio! — disse o Chico. — Achei o saco das libras. Estava bastante fundo. Mas foi fácil cavar porque, com as plantações, a terra fica mais fofa...

— E o homem?

— Parecia louco de alegria! Gostava que o tivesses visto, mana! — acrescentou o Chico, virando-se para a Teresa com ar gozão.

— E mandou um presente!

O João retirou do bolso o porta-moedas, abriu-o e mostrou:

— Olhem só! Uma libra de ouro para cada um!

— Oh, que bom! — disse a Catarina, pegando numa libra com a ponta dos dedos.

— Dá cá a minha!

— E a minha!

— Sirvam-se à vontade! — gracejou o João. — Contanto que fique uma para mim...

— O único senão foi que destruímos a horta experimental dos miúdos do primeiro ano — disse o Chico. — Mas «não se podem fazer omeletas sem partir ovos», não é?

— Paciência! Foi por uma causa justa!

— E os miúdos podem voltar a plantar...

No dia seguinte, o aglomerado era à volta do terreno revolvido.

— Quem é que terá feito uma coisa destas? — lamentava-se o Sr. Osório, no meio dos professores, empregados e alunos, que fitavam a horta destruída, sem saberem o que pensar.

O Chico deu uma cotovelada no Pedro, arregalou os olhos, fingindo-se admirado e disse:

— É verdade! Quem terá sido o malandro?

— Deve ser sempre o mesmo — respondeu-lhe o Sr. Osório. — E ainda por cima é atrevido! Querem ver o que deixou aqui espetado no sítio onde havia os canteiros de alfaces?

O Sr. Osório desdobrou um papel grosso, onde alguém tinha escrito a caneta de feltro:

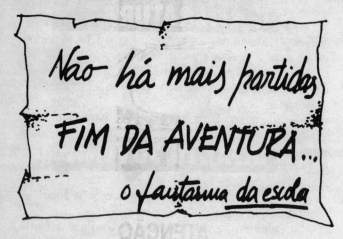

Não há mais partidas
FIM DA AVENTURA...
o fantasma da escola

— Foste tu, Chico? — perguntou a Catarina, em voz baixa.

— Fui! Schut!

CAMINHO

LITERATURA

INFANTIL JUVENIL

ATENÇÃO
S O R T E I O S

A CAMINHO está a organizar sorteios para premiar os seus jovens leitores.

queres participar?

Preenche e remete à CAMINHO o postal anexo e ficarás automaticamente inscrito para os sorteios
CAMINHO LITERATURA INFANTIL JUVENIL